#홈스쿨링
#혼자공부하기

똑똑한 하루 글쓰기

Chunjae
Makes
Chunjae

[똑똑한 하루 글쓰기] 예비초 B

기획총괄 박진영
편집개발 전종현, 김효진, 백경민, 박지영
디자인총괄 김희정
표지디자인 윤순미, 김지현
내지디자인 박희춘, 최지희
제작 황성진, 조규영
본문 사진 제공 셔터스톡, 픽사베이

발행일 2022년 5월 15일 초판 2022년 5월 15일 1쇄
발행인 (주)천재교육
주소 서울시 금천구 가산로9길 54
신고번호 제2001-000018호
고객센터 1577-0902

※ 정답 분실 시에는 천재교육 교재 홈페이지에서 내려받으세요.
※ KC 마크는 이 제품이 공통안전기준에 적합하였음을 의미합니다.
※ 주의
책 모서리에 다칠 수 있으니 주의하시기 바랍니다.
부주의로 인한 사고의 경우 책임지지 않습니다.
8세 미만의 어린이는 부모님의 관리가 필요합니다.

예비초 B 공부할 내용 한눈에 보기!

1주 경험한 것을 써 보자!

2주 이야기를 꾸며 써 보자!

똑똑한 하루 글쓰기를 함께 할 친구들을 소개합니다.

마법사 세계에서 글쓰기를 배우러 온 아라! 글쓰기 실력을 키우면 새로운 마법을 얻을 수 있다는 선생님의 말씀에 따라 마법 고양이 리오와 함께 인간 세상에 글쓰기를 배우러 왔어요.

3주 앞으로의 계획을 써 보자!

정리 마무리 학습

공부하자!
무엇이든 물어보렴!
함께 하자!
훈민과 정음의 아빠
마법 선생님
리오

글쓰기 실력이 모자라 마법도 실수투성이지만, 훈민과 정음 가족을 만나 글쓰기 실력을 키워 나가는 아라를 지켜봐 주세요.

글쓰기, 어떻게 시작할까요?

똑똑한 글쓰기 질문 **하나!**

글쓰기 공부 왜 필요할까요?

자신의 생각을 표현하는 수단이자 모든 학습의 바탕이 되는 활동이 바로 글쓰기예요. 특히 배운 내용을 정리하고, 이해한 것을 글로 풀어내는 글쓰기 능력은 모든 과목 학습 성취에 큰 영향을 끼친답니다.

똑똑한 글쓰기 질문 **둘!**

계속되는 글쓰기 공부의 실패 원인은 무엇일까요?

글쓰기를 시작하는 순간부터 아이들은 무엇을 써야 할지, 어떻게 표현할지, 어떻게 고쳐야 자연스러울지 등 많은 고민을 하게 되고, 이를 힘들어한답니다. 이렇게 복잡하고 어려운 글쓰기 과정이 익숙해지지 않았을 때 "이것 한번 써 보렴." 하고 과제를 주면 돌아오는 대답은 "엄마, 글쓰기가 싫어요!"일 수밖에 없을 거예요. 그래서 『똑똑한 하루 글쓰기』는 아이들이 차츰 글쓰기에 익숙해지고 재미를 붙여 나갈 수 있도록 만들었답니다.

똑똑한 글쓰기 질문 **셋!**

글쓰기 공부 어떻게 시작해야 할까요?

쉽고 재미있는 『똑똑한 하루 글쓰기』 예비초등 단계로 시작해 보세요. 그림과 만화로 여러 가지 글쓰기 상황을 접할 수 있고, 낱말 쓰기부터 짧은 글 쓰기까지 단계별로 글쓰기를 학습할 수 있어요. 재미있는 게임 형식의 문제와 부담 없는 하루 학습량으로 아이의 공부 습관도 자연스럽게 길러 주세요. 하루하루 꾸준히 공부해서 한 권을 끝내면 글쓰기 실력과 함께 자신감도 쑥쑥 자랄 거예요.

이 책의 특징과 장점

똑똑한 하루 글쓰기로 똑똑해지자!

새로운 마법을 얻으려면 글쓰기 실력을 키워야 한답니다.
글쓰기 실력을 키울 수 있는 곳으로!

마법 고양이 리오가 도와줄 거예요.
으아악
냐옹~

여기가 어디지?
앗! 누구야?

난 마법사 아라야. 마법 공부를 위해 글쓰기를 배우려고 이곳에 왔어.
마침 우리도 글쓰기 공부를 시작하려고 했어. 같이 하자!

하지만 어떤 책으로 공부하지?
나에게 맡겨 줘.
글쓰기 책아 나타나라!

우수수~
앗, 조심해!

똑똑한 하루 글쓰기!

왜 똑똑한 하루 글쓰기일까요?

1. **10분**이면 **하루 글쓰기 끝!** 쉽고 재미있는 글쓰기 공부!
2. 예비초 수준에 맞는 **상황별 글쓰기 연습!** 다양한 실생활 속 글쓰기 연습!
3. **단계별 글쓰기**로 글쓰기 실력 향상! 따라 쓰고 보고 쓰며 짧은 글 완성!
4. **창의·융합·코딩**으로 사고력 넓히기! 흉내 내는 말부터 다양한 배경지식까지!
5. **평가 문제**로 실력이 쑥쑥! '누구나 100점 테스트'와 '기초 종합 정리 문제'로 실력 완성!

구성과 활용 방법

주 도입

한 주 동안 공부할 내용을 만화와 그림으로 미리 살펴보고, 각 일차에 배울 중요한 말을 따라 써 봅니다.

똑똑한 하루 글쓰기 코스

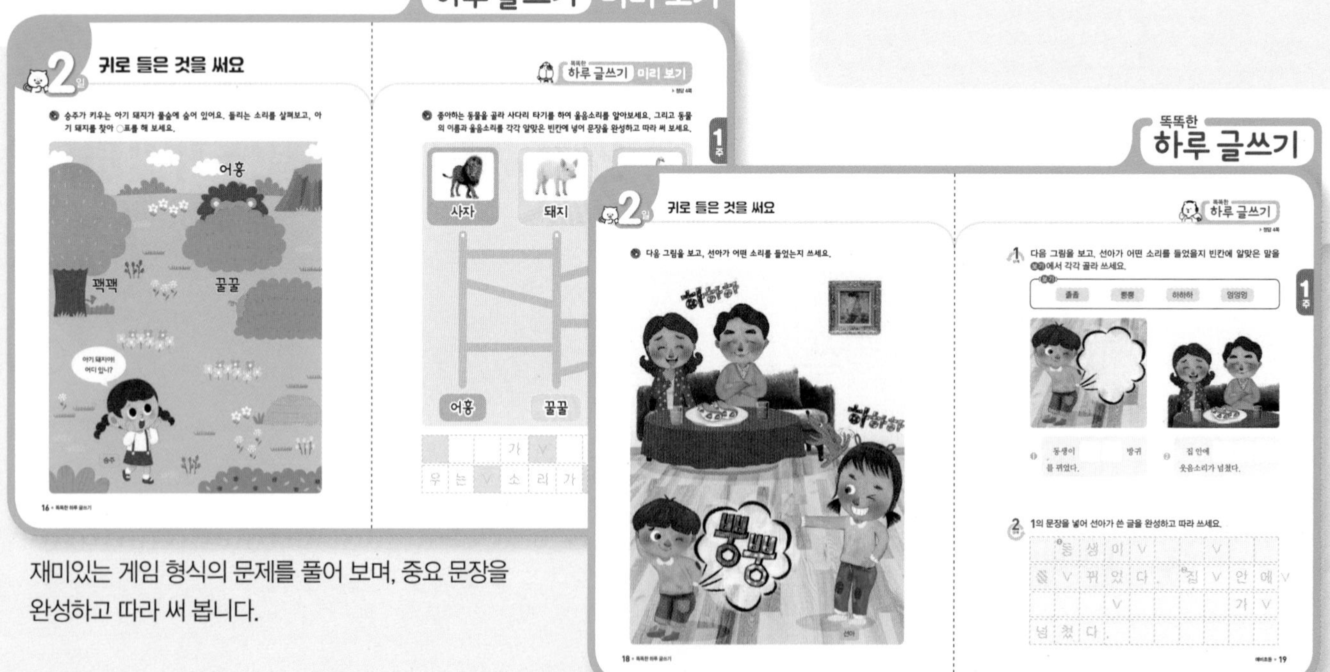

재미있는 게임 형식의 문제를 풀어 보며, 중요 문장을 완성하고 따라 써 봅니다.

다양한 글쓰기 상황을 살펴보고, 낱말 쓰기부터 짧은 글 쓰기까지 단계별로 학습하며 쉽고 재미있게 글쓰기를 연습합니다.

누구나 100점 테스트

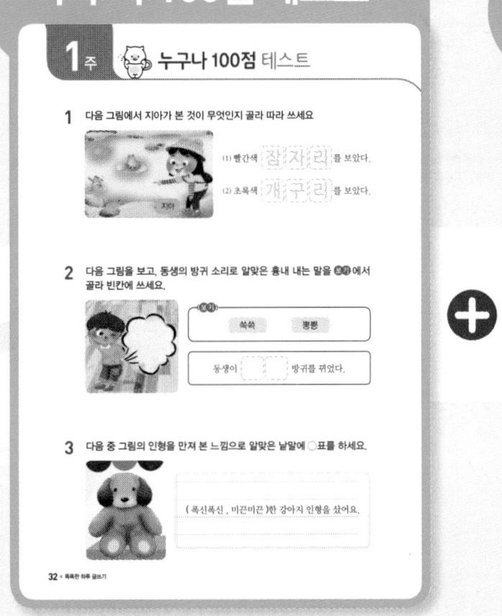

한 주 동안 공부한 내용을 평가하며
글쓰기 실력을 확인합니다.

주 특강

창의・융합・코딩 미션을 해결하며 재미있게 한 주 동안
배운 내용을 떠올리고 다양한 배경지식을 넓힙니다.

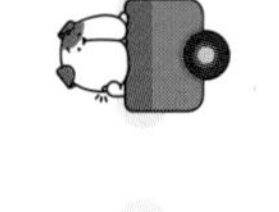

마무리 학습

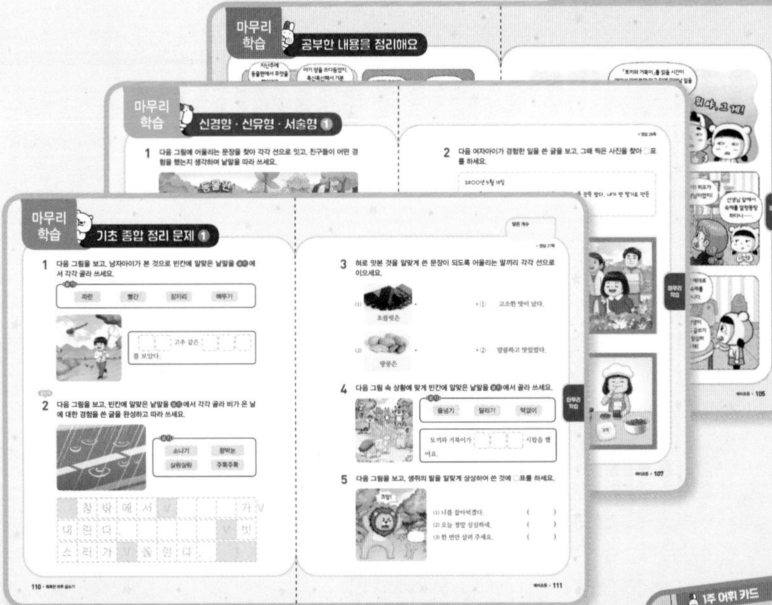

신경향・신유형・서술형 문제와 기초 종합 정리 문제로
다양한 문제 형식을 접하고 풀어 보며
배운 내용들을 되새겨 봅니다.

부록

어휘 카드와 붙임딱지를 활용하여
더욱 재미있고 알차게 공부해요!

친구들과 약속해요!

우리 같이 약속해요!

첫째, 하루하루 빠짐없이 꾸준히 공부하기!

둘째, 하루 글쓰기 문제 끝까지 다 풀기!

셋째, 또박또박 바르게 글씨 쓰기!

약속하는 사람 ______________

쉽고 재미있는
『똑똑한 하루 글쓰기』로
첫 글쓰기 공부를 시작해 봐요.

똑 똑 한

하루 글쓰기

1주

1주에는 무엇을 공부할까? ①

경험한 것을 써 보자!

좋은 생각이야!
오늘 보고, 듣고, 느낀 것들을 글로 써 보면 어때?
경험한 것을 글로 써 두면 더 오래 기억할 수 있단다.
난 적어 두었다가 일기에 써야지.
앗! 음식들이 사라졌어.
아, 배부르다! 무슨 맛이었는지 궁금하면 내가 쓴 글을 봐!
어디 매운맛 좀 봐라!
잘못했어!
에잇! 에잇!

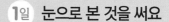

1 주

1주에는 무엇을 공부할까? ❷

이번 주에 배울 내용을 생각하며, 빈칸의 말을 따라 쓰세요.

1일 눈으로 본 것을 써요

2일 귀로 들은 것을 써요

3일 손으로 만져 본 느낌을 써요

▶정답 2쪽

1
주

4일 코로 냄새 맡은 것을 써요

5일 혀로 맛본 것을 써요

1일 눈으로 본 것을 써요

공원에서 놀고 있는 친구들이 어떤 곤충들을 보았을지 생각하며, 그림에 알맞은 붙임딱지를 붙여 보세요. 붙임딱지 ①

▶정답 3쪽

그림에 맞는 퍼즐 모양을 찾아 붙임딱지를 붙여 보세요.

퍼즐에 적힌 낱말을 각각 알맞은 빈칸에 넣어 문장을 완성하고 따라 써 보세요.

			V	고	추	V	같	은	V
					를	V	보	았	다

.

1일 눈으로 본 것을 써요

다음 그림을 보고, 지아가 무엇을 보고 어떤 생각을 했는지 쓰세요.

이것 좀 봐! 연못에서
개구리가 ▾폴짝폴짝
뛰고 있어.
지아

어휘 풀이

▾ **폴짝폴짝** 작은 것이 자꾸 세차고 가볍게 뛰어오르는 모양.

㉠ 메뚜기는 폴짝폴짝 뛰어 풀잎 위로 올라갔다.

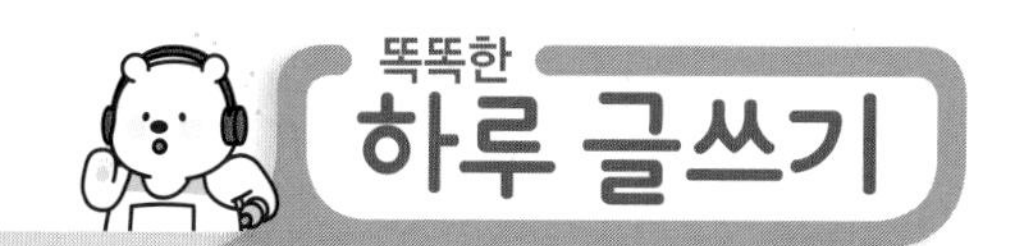

▶정답 3쪽

1단계 지아가 연못에서 무엇을 보았는지 생각하며 빈칸의 낱말을 각각 따라 쓰세요.

❶ 초록색 개 구 리 를 보았다.

❷ 폴 짝 폴 짝 뛰는 모습이 신기했다.

2단계 1의 문장을 넣어 지아가 쓴 글을 완성하고 따라 쓰세요.

	❶			V				를	V
보	았	다	.	❷				V	
	V			이	V	신	기	했	다

귀로 들은 것을 써요

승주가 키우는 아기 돼지가 풀숲에 숨어 있어요. 들리는 소리를 살펴보고, 아기 돼지를 찾아 ◯표를 해 보세요.

▶정답 4쪽

좋아하는 동물을 골라 사다리 타기를 하여 울음소리를 알아보세요. 그리고 동물의 이름과 울음소리를 각각 알맞은 빈칸에 넣어 문장을 완성하고 따라 써 보세요.

			가	V			V	하	고	V
우	는	V	소	리	가	V	들	렸	다	.

귀로 들은 것을 써요

다음 그림을 보고, 선아가 어떤 소리를 들었는지 쓰세요.

▶ 정답 4쪽

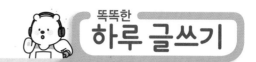

1 단계 다음 그림을 보고, 선아가 어떤 소리를 들었을지 빈칸에 알맞은 말을 보기에서 각각 골라 쓰세요.

보기: 졸졸 / 뿡뿡 / 하하하 / 엉엉엉

❶ 동생이 ( ) 방귀를 뀌었다.

❷ 집 안에 ( ) 웃음소리가 넘쳤다.

2 단계 1의 문장을 넣어 선아가 쓴 글을 완성하고 따라 쓰세요.

	❶동	생	이	V			V		
를	V	뀌	었	다	.	❷집	V	안	에 V
			V					가	V
넘	쳤	다	.						

3일 손으로 만져 본 느낌을 써요

다음 그림을 보고, 초롱이가 사고 싶어 하는 장난감에 ○표를 해 보세요.

▶정답 5쪽

아라가 설명하는 낱말을 찾아 빈칸에 넣어 문장을 완성하고 따라 써 보세요.

낱말의 뜻

살갗에 닿는 느낌이 매우 보드라운 모양.

	강	아	지	V	인	형	이	V	무
척	V					하	다	.	

3일 손으로 만져 본 느낌을 써요

다음 만화를 읽고, 수정이가 무엇을 만지고 어떤 느낌을 받았는지 쓰세요.

어휘 풀이

- **햄스터** 황금햄스터 따위의 애완용 쥐. 몸길이 12~15cm로 밤에 활동하며 씨앗과 곤충 등을 먹는다.
- **물론**(말 물 勿, 논의할 론 論) 말할 것도 없음.
  예 사과는 물론이고, 귤도 달고 맛있었다.

▲ 햄스터

1 단계 그림을 보고, 수정이가 무엇을 만져 보았는지 빈칸에 알맞은 말을 각각 쓰세요.

❶ ______ 를 손에 살포시 들어 보았다.

❷ 햄스터는 ______ 부드러웠다.

2 단계 1의 문장을 넣어 수정이가 쓴 글을 완성하고 따라 쓰세요.

	❶				∨			∨	살
포	시	∨	들	어	∨	보	았	다	.
❷햄	스	터	는	∨					∨
					.				

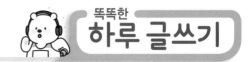

4일 코로 냄새 맡은 것을 써요

공원에 온 친구들이 하는 말을 살펴보고, 그림에 알맞은 붙임딱지를 붙여 보세요.

붙임딱지 1

▶정답 6쪽

꽃밭에 가는 길에 찾은 글자를 차례대로 빈칸에 넣어 문장을 완성하고 따라 써 보세요.

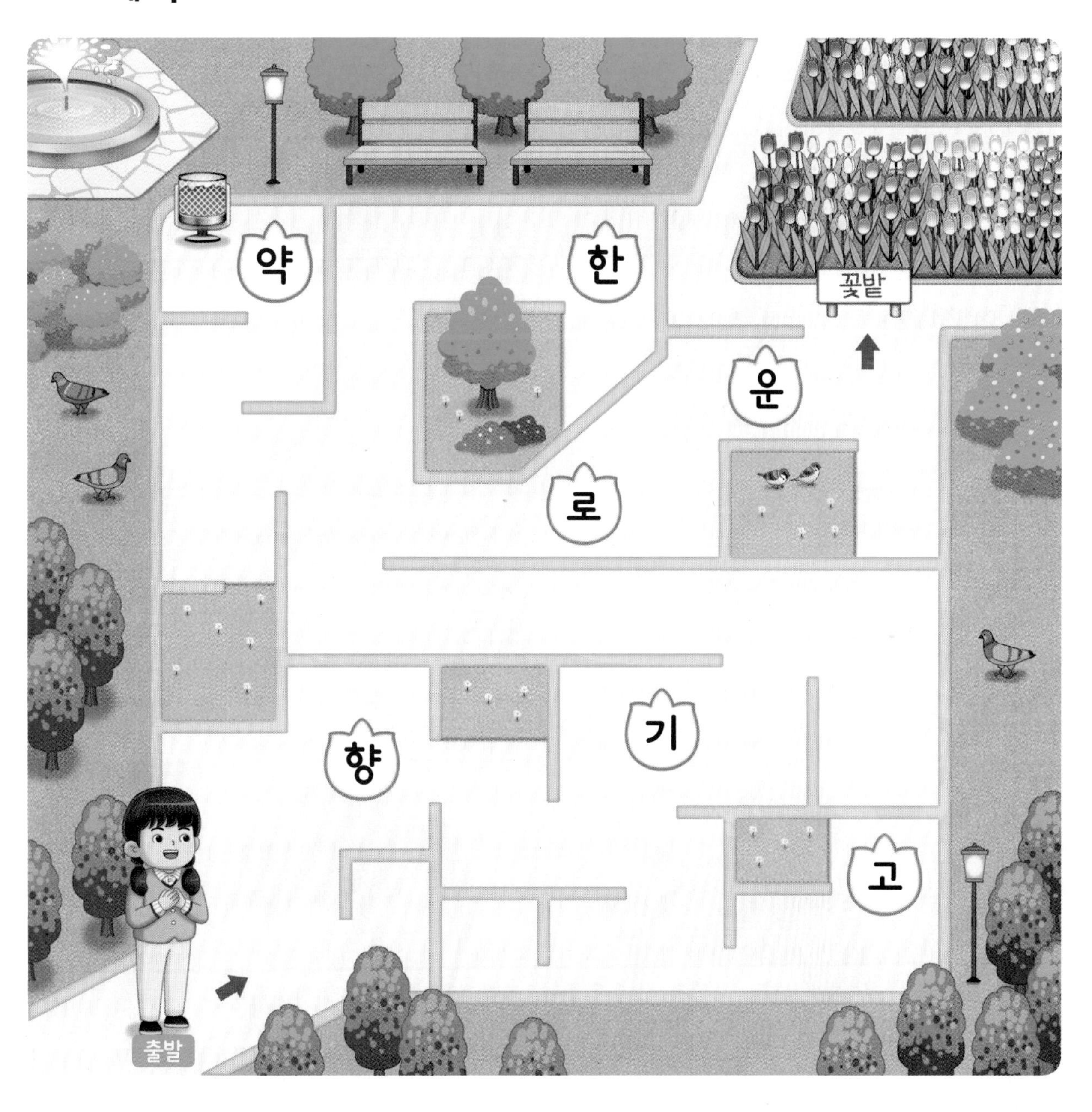

	꽃	에	서	V					V
냄	새	가	V	났	다	.			

코로 냄새 맡은 것을 써요

다음 글을 읽고, 윤호가 어떤 냄새를 맡았는지 쓰세요.

일요일 아침, 윤호는 맛있는 냄새를 따라 부엌으로 나왔어요. 아빠께서는 맛있는 빵을 만들고 계셨어요.

빵에서 나는 달콤하고 고소한 냄새가 집 안을 가득 채웠어요.

▶정답 6쪽

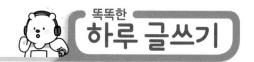

1 단계 윤호에게 어떤 일이 있었는지 빈칸에 알맞은 말을 보기에서 각각 골라 쓰세요.

❶ 아빠께서 [ ] 을 구워 주셨다.

❷ 빵에서 달콤하고 고소한 [ ] 가 났다.

2 단계 1의 문장을 넣어 윤호가 쓴 글을 완성하고 따라 쓰세요.

	❶아	빠	께	서	V			V	
	V	주	셨	다	.	❷빵	에	서	V
				V				V	
	가	V	났	다	.				

혀로 맛본 것을 써요

다음 그림을 보고, 수호가 먹고 싶어 하는 것에는 ○표를 하고, 유리가 먹고 싶어 하는 것에는 △표를 해 보세요.

▶정답 7쪽

좋아하는 음식을 골라 사다리 타기를 하여 맛을 알아보세요. 그리고 음식의 이름과 맛을 각각 알맞은 빈칸에 넣어 문장을 완성하고 따라 써 보세요.

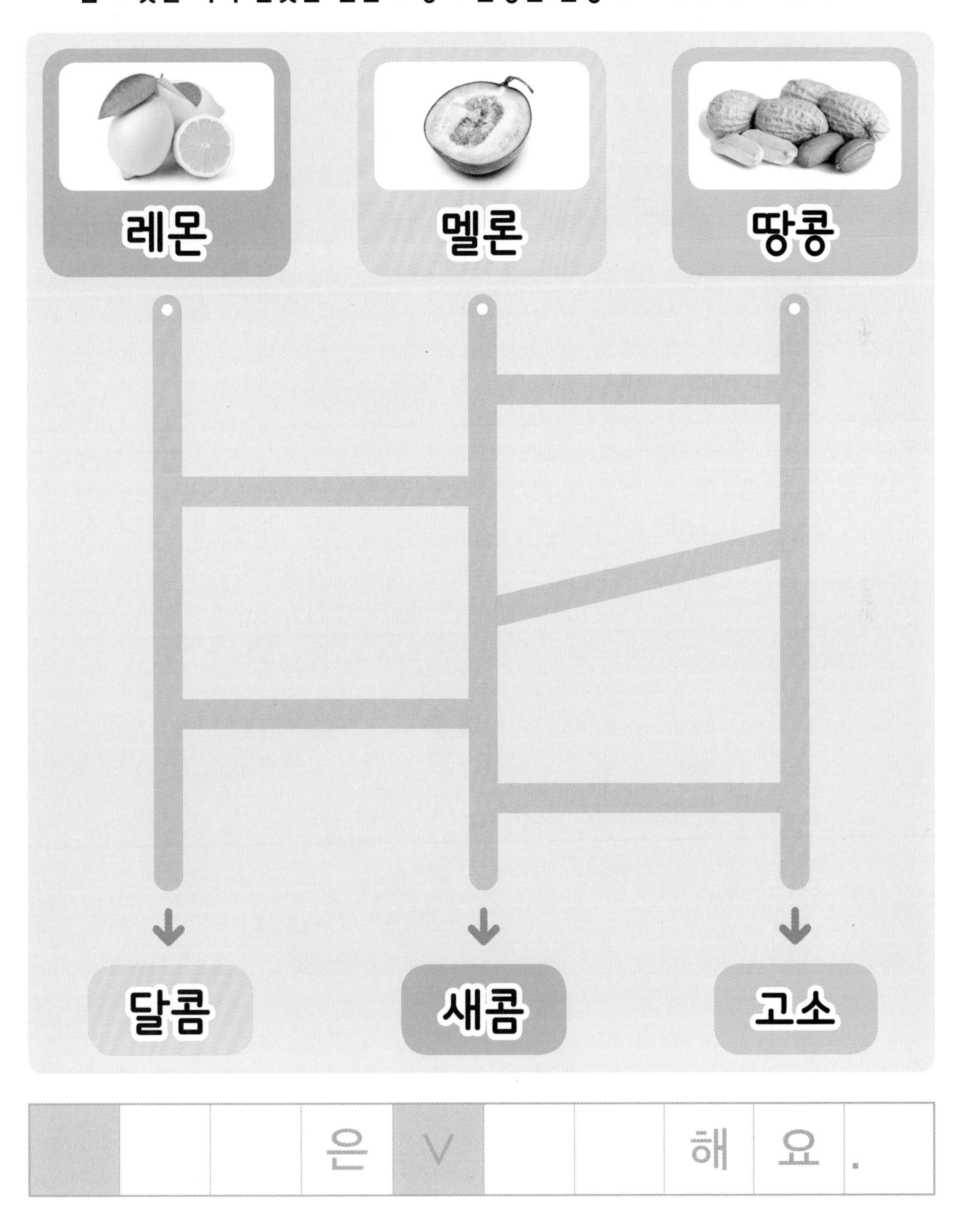

			은	V			해	요	.

5일 혀로 맛본 것을 써요

다음 만화를 보고, 윤아가 무엇을 맛보았는지 쓰세요.

어휘 풀이

▼ **얼얼해요** 맵거나 독하여 혀끝이 몹시 아리고 쏘는 느낌이 있어요.

㉮ 조그만 고추가 너무 매워서 혀가 얼얼해요.

▶정답 7쪽

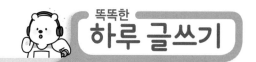

1단계 다음 그림을 보고, 윤아가 무엇을 먹고 어떤 맛을 느꼈는지 빈칸에 알맞은 낱말을 각각 쓰세요.

떡볶이 맛이 어떠니?
맵고 얼얼한 맛이에요.

❶ 아빠께서 (   ) 를 만들어 주셨다.

❷ (   ) 얼얼했지만 맛있었다.

2단계 윤아가 떡볶이 다음에 먹은 것과 그에 알맞은 맛을 보기에서 각각 골라 빈칸에 넣어 글을 완성하고 따라 쓰세요.

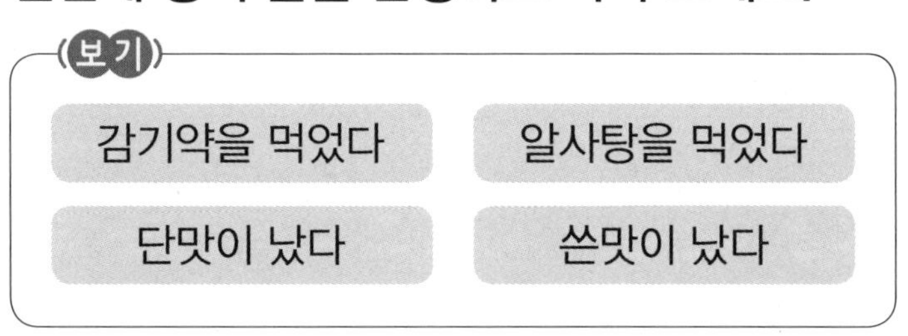

감기약을 먹었다
알사탕을 먹었다
단맛이 났다
쓴맛이 났다

감기약과 알사탕 모두 답이 될 수 있어요. 단, 그에 어울리는 맛을 알맞게 골라 쓰세요.

힌트

아빠께서 ∨ 주신 ∨
∨ . 입 ∨
안 ∨ 가득 ∨ ∨

1주  누구나 100점 테스트

1 다음 그림에서 지아가 본 것이 무엇인지 골라 따라 쓰세요

(1) 빨간색 잠 자 리 를 보았다.

(2) 초록색 개 구 리 를 보았다.

2 다음 그림을 보고, 동생의 방귀 소리로 알맞은 흉내 내는 말을 보기 에서 골라 빈칸에 쓰세요.

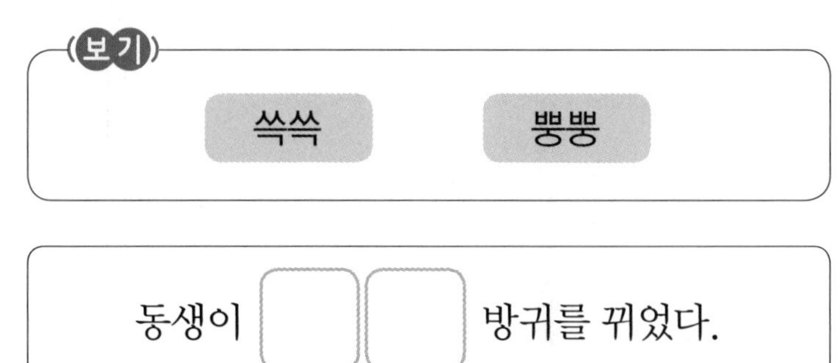

동생이 ☐☐ 방귀를 뀌었다.

3 다음 중 그림의 인형을 만져 본 느낌으로 알맞은 낱말에 ○표를 하세요.

(폭신폭신 , 미끈미끈)한 강아지 인형을 샀어요.

▶정답 8쪽

4 다음 그림 속 친구가 어떤 냄새를 맡았을지 알맞은 말을 보기에서 골라 쓰세요.

보기
달콤하고 고소한
비릿하고 시큼한

아빠께서 구워 주신 빵에서 __________ __________ 냄새가 났다.

글쓰기

5 다음 그림을 보고, 알맞은 말을 보기에서 골라 윤아가 경험한 일을 완성하고 따라 쓰세요.

보기
- 쓰고 짭짤했지만
- 맵고 얼얼했지만

	아	빠	께	서	V	떡	볶	이	를	V
만	들	어	V	주	셨	다	.			V
					V	맛	있	었	다	.

1주 특강

과수원에서 만날 수 있는 흉내 내는 말을 살펴보고, 따라 써 봐요. 흉내 내는 말에 알맞은 붙임딱지도 함께 붙여 보세요. 붙임딱지 1

▶정답 8쪽

과수원에서 만날 수 있는 흉내 내는 말의 뜻을 알아봐요!

알맞은 모습의 붙임딱지를 붙여 보아요.

주렁주렁

열매 따위가 많이 달려 있는 모양.

알맞은 모습의 붙임딱지를 붙여 보아요.

말랑말랑

매우 보들보들하여 연하고 부드러운 느낌.

알맞은 모습의 붙임딱지를 붙여 보아요.

아삭아삭

연하고 싱싱한 과일이나 채소 등을 보드랍게 베어 물 때 자꾸 나는 소리.

알맞은 모습의 붙임딱지를 붙여 보아요.

수북수북

쌓이거나 담긴 물건이 여럿이 다 불룩하게 많은 모양.

동물원에 간 지아가 사자를 보고 있어요. 그림의 점을 번호 순서대로 연결하여 지아가 본 사자의 모습을 완성하세요.

융합 국어+수학

숫자를 작은 숫자부터 차례대로 선으로 이어 지아가 본 멋진 사자를 완성해 봅니다.

▶정답 9쪽

다음 소리를 따라가며 찾은 낱말을 각각 빈칸에 넣어 소리가 난 상황을 완성하여 쓰세요.

창의 각각의 소리가 **어떤 상황에서 나는 소리인지** 알아봅니다.

가게에 온 윤아가 먹고 싶은 것을 찾고 있어요. 화살표를 따라 이동하여 윤아가 먹고 싶은 것을 찾아 ○표를 하세요.

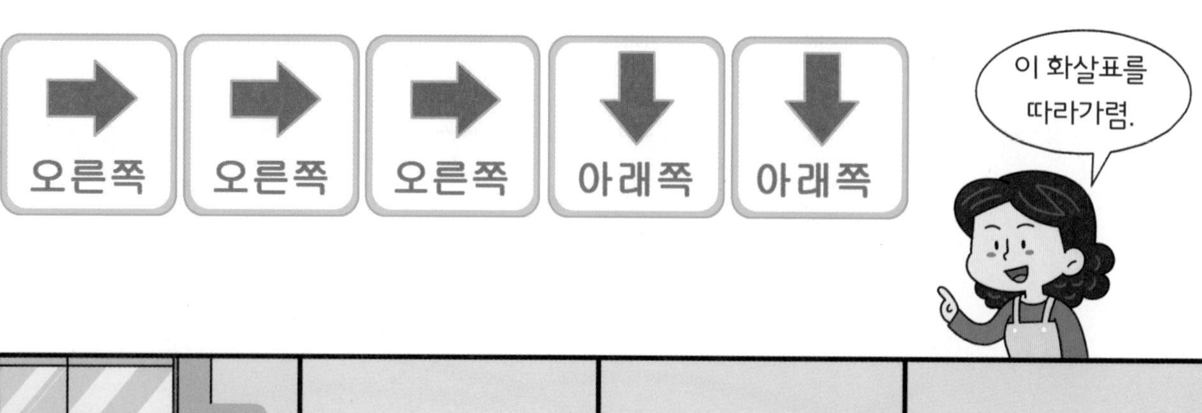

코딩 **코딩 명령에 따라 이동하는 방법**을 알아보며 길을 찾아가 봅니다.

▶정답 9쪽

다음 다섯 가지 질문에 답한 내용을 보고, 친구가 설명하는 것이 무엇인지 보기 에서 골라 쓰세요.

고개	질문	대답
1	어떤 모양과 색을 가지고 있나요?	동글동글한 모양에 알록달록한 색이에요.
2	흔들면 어떤 소리가 나나요?	이것이 든 통을 흔들면 달그락달그락 소리가 나요.
3	어떤 냄새가 나나요?	달콤한 냄새가 나요.
4	손으로 만져 본 느낌은 어떤가요?	딱딱한 느낌이에요.
5	맛은 어떤가요?	달콤하고 맛있어요.
	설명하는 것은 ( ) 인가요?	예, 맞아요.

보기

▲ 바나나 ▲ 꽃 ▲ 우유 ▲ 사탕

(   )

창의 다섯 가지 질문과 대답을 읽고 **설명하는 것이 무엇인지** 찾아봅니다.

2주

2주에는 무엇을 공부할까? ❶

이야기를 꾸며 써 보자!

불쌍해.
반성했으니까 내가
마법으로 물고기를
구해 줄래.
진정해.
진짜 일어난 일이
아니다. 냐옹.
아, 그렇지.
근데 너희 이야기 정말
잘 만든다!
으쓱
그럼 누가 더
이야기를 잘 꾸며 쓰는지
게임으로 가려 볼까?

게임? 재미있겠다.
좋아요!

게임이 아니라
공부 아니야?
그러게.

2주 2주에는 무엇을 공부할까? ❷

이번 주에 배울 내용을 생각하며, 빈칸의 말을 따라 쓰세요.

1일 어떤 일이 일어나고 있는지 써요

2일 인물의 말을 상상하여 써요

3일 뒤에 일어날 일을 상상하여 써요

▶정답 10쪽

2주

4일 앞에 일어난 일을 상상하여 써요

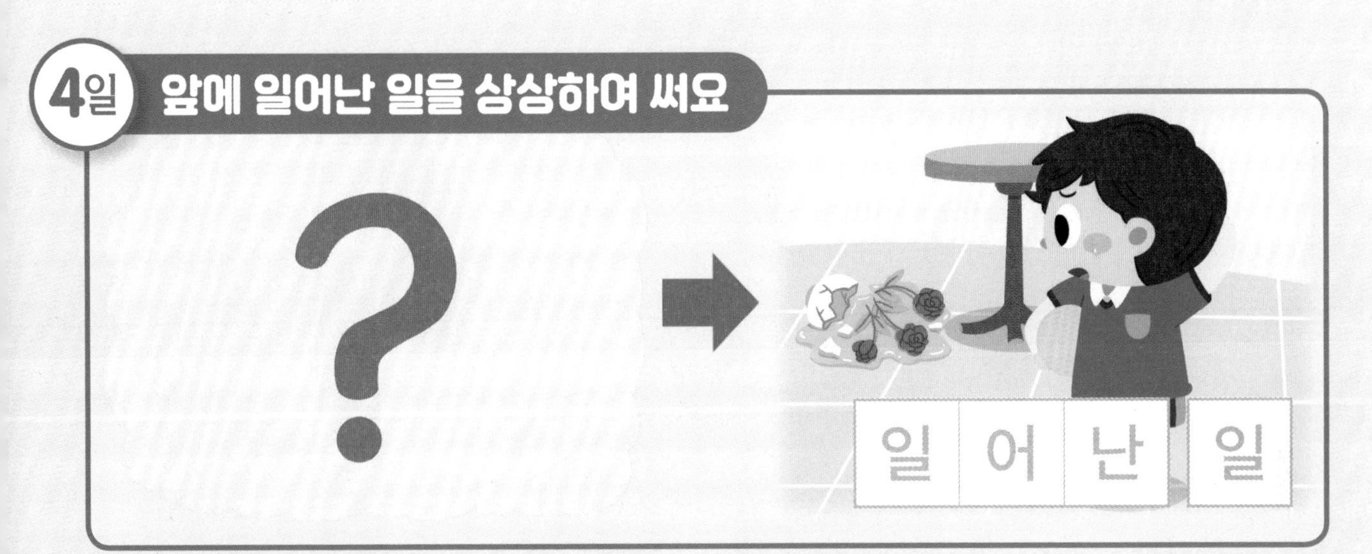

5일 이야기를 실감 나게 써요

아빠 닭이 꼬끼오 노래해요.
병아리들도 삐악삐악 같이 불러요.
실감

1일 어떤 일이 일어나고 있는지 써요

숲속에서 어떤 일이 일어나고 있는지 살펴보고, 동물들을 색칠하여 그림을 완성해 보세요.

▶정답 11쪽

그림에 맞는 퍼즐 모양을 찾아 붙임딱지를 붙여 보세요.

퍼즐에 적힌 낱말을 각각 알맞은 빈칸에 넣어 그림 속 상황을 나타낸 문장을 완성하고 따라 써 보세요.

				가	V	잠	든	V	
	V	앞	을	V	지	나	갔	어	요

.

1일 어떤 일이 일어나고 있는지 써요

다음 그림을 보고, 어떤 일이 일어나고 있는지 쓰세요.

아이코,
내가 진 거야?
내가 달리기 시합에서
토끼를 이겼다. 와! 와!

어휘 풀이

- **달리기** 두 발을 계속 빠르게 움직여 뛰는 일.
  - 예 달리기 운동을 꾸준히 하면 몸에 좋다.
- **시합**(시험할 시 試, 합할 합 合) 운동 등의 경기에서 서로 실력을 발휘하여 승부를 겨룸.
  - 예 축구 시합을 보러 경기장에 갔다.

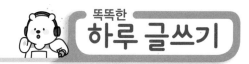

▶정답 11쪽

다음 그림을 보며 토끼와 거북이에게 일어난 일을 쓰려고 해요. 친구들이 한 말을 읽고, 빈칸에 알맞은 낱말을 각각 쓰세요.

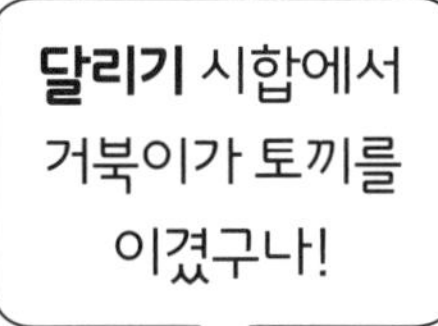

거북이가 무척
기뻐하고 있네.

❶ ______ 시합에서 거북이가 토끼를 이겼어요.

❷ ______ 는 무척 기뻐했어요.

1의 문장을 넣어 그림에서 어떤 일이 일어나고 있는지 쓴 글을 완성하고 따라 쓰세요.

	❶			V					V
				V				V	이
겼	어	요	.	❷				V	
	V	기	뻐	했	어	요	.		

2일 인물의 말을 상상하여 써요

두 동물의 모습은 무엇일지 생각하며, 그림에 알맞은 붙임딱지를 붙여 보세요.

붙임딱지 2

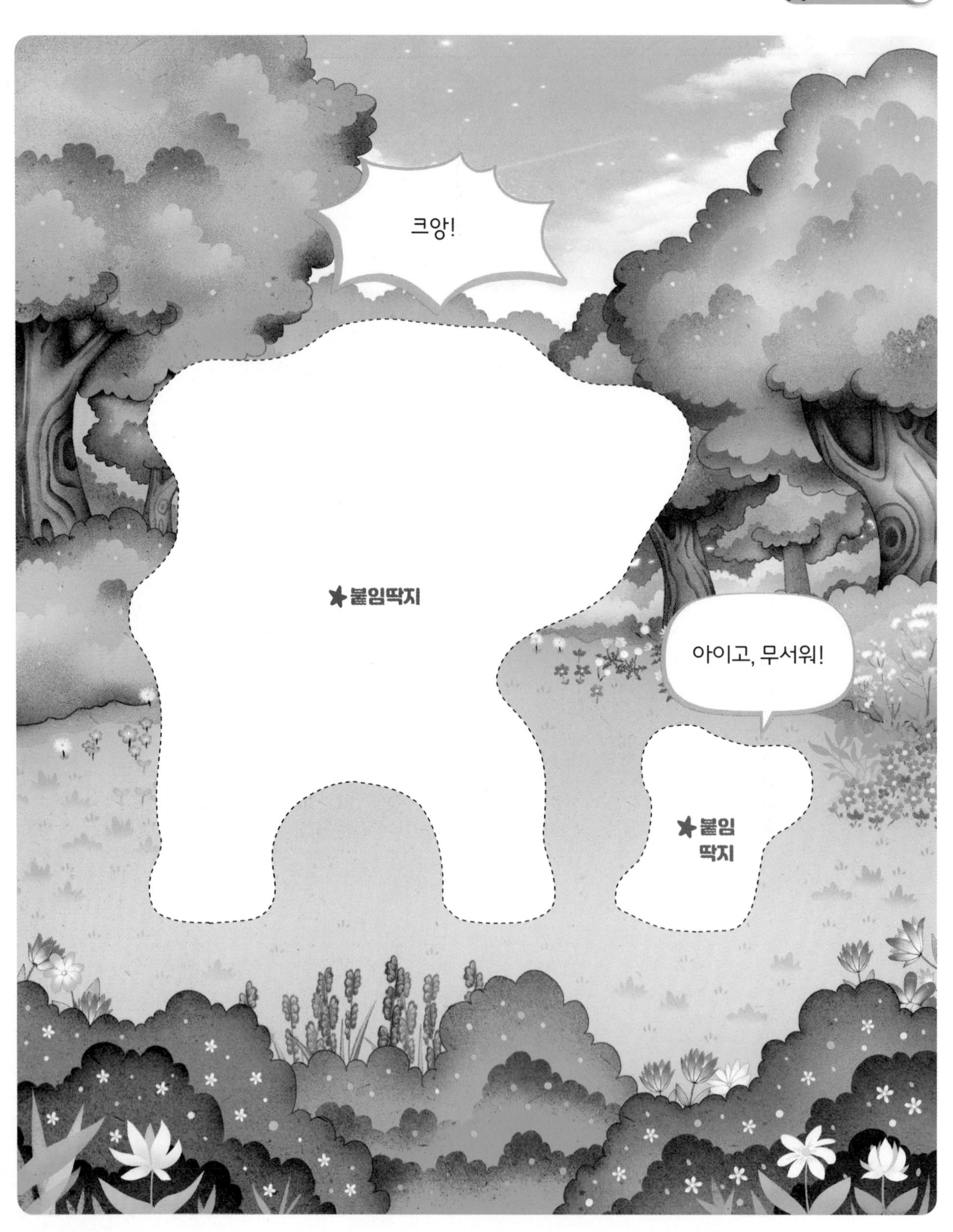

▶정답 12쪽

생쥐가 사다리 타기를 하여 도착한 곳의 말을 빈칸에 넣어 문장을 완성하고 따라 써 보세요.

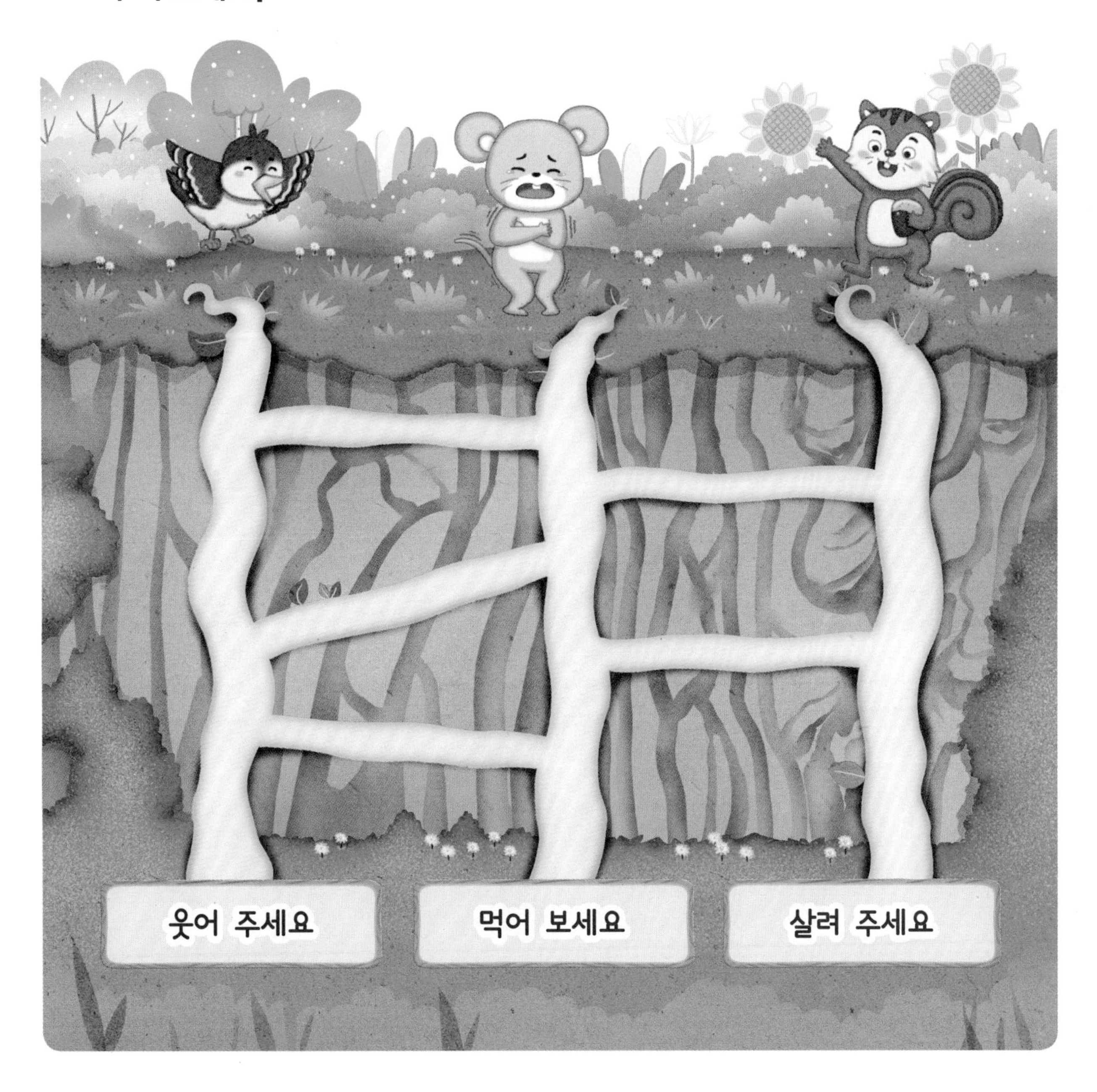

	"한	V	번	만	V			V
			. "					

2일 인물의 말을 상상하여 써요

다음 만화를 읽고, 빈 곳에 들어갈 사자의 말을 상상하여 쓰세요.

흠, 오늘은 배부르니 널 잡아먹지 않겠다.

고마워요. 이 은혜는 꼭 갚을게요.

며칠 후

어휘 풀이

- **은혜**(은혜 은 恩, 은혜 혜 惠) 자연이나 사람이 기꺼이 베풀어 주는 도움.
  - 예 부모님의 은혜는 하늘보다도 높고 바다보다도 깊다.
- **갚을게요** 남에게 도움을 받은 만큼 되돌려 줄게요.
  - 예 이 은혜는 다시 이곳에 왔을 때 꼭 갚을게요.

▶정답 12쪽

1단계 만화의 내용에 맞게 빈칸의 낱말을 각각 따라 쓰세요.

❶ 사자 가 생쥐를 살려 주었어요.

❷ 생쥐는 고마워하며 은혜 를 꼭 갚겠다고 말했어요.

❸ 며칠 후, 생쥐 는 위험에 빠진 사자를 도와주었어요.

2단계 1에서 답한 내용을 보고, 마지막 장면에 나올 사자의 말을 상상하여 보기 에서 골라 쓰세요.

보기
- 나를 도와주어 고맙구나.
- 이제 너는 절대 잡아먹지 않을 것이다.

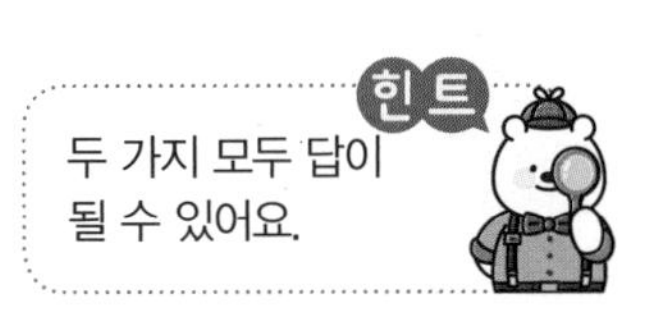

2주

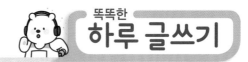

3일 뒤에 일어날 일을 상상하여 써요

다음 장면의 뒤에 일어날 일을 상상하며, 숨은 그림을 모두 찾아 ○표를 해 보세요.

▶정답 13쪽

곰이 집으로 가는 길에 찾은 글자를 차례대로 빈칸에 넣어 문장을 완성하고 따라 써 보세요.

	곰	이	V	바	나	나	V	껍	질
을	V	밟	고	V					

3일 뒤에 일어날 일을 상상하여 써요

다음 이야기를 읽고, 뒤에 일어날 일을 상상하여 쓰세요.

모두 애벌레를 놀렸어요.
애벌레가 징그럽게 생겼다고 말이에요.
애벌레는 너무 슬펐어요.

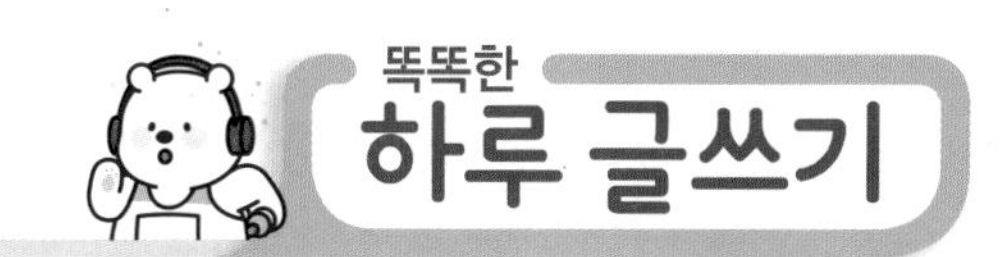

▶정답 13쪽

아라는 이 이야기의 뒤에 일어날 일을 상상하며 다음 그림을 그렸어요. 그림 속 상황에 맞게 빈칸에 알맞은 낱말을 보기에서 골라 쓰세요.

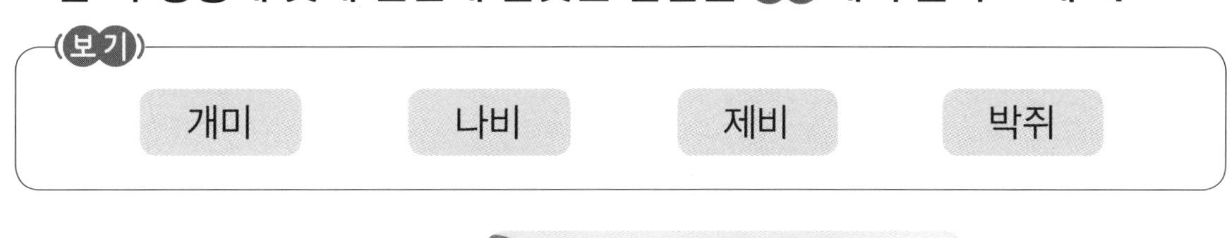

애벌레가 아름답고 멋진 ☐☐ 로 자라났다.

1의 문장을 이용해 이 이야기의 뒤에 일어날 일을 쓴 글을 완성하고 따라 쓰세요.

하지만 추운 겨울이 지나고 따스한 봄이 되자 모두들 놀랐어요.
징그럽다고만 생각했던 애벌레가
로 자라나 있었거든요.

앞에 일어난 일을 상상하여 써요

다음 장면의 앞에 일어난 일을 상상하며, ◆이 있는 치아를 검은색으로 칠하여 그림을 완성해 보세요.

똑똑한
하루 글쓰기 미리 보기

▶정답 14쪽

아라가 설명하는 낱말을 찾아 빈칸에 넣어 문장을 완성하고 따라 써 보세요.

낱말의 뜻
이를 닦고 물로 입 안을 씻어 내는 일.

	현	서	는	V	밥	을	V	먹	고	V
			을	V	안	V	했	어	요	.

4일 앞에 일어난 일을 상상하여 써요

다음을 보고, 가장 앞에 일어난 일을 상상하여 쓰세요.

?

착한 아이로구나.
할머니께서는 준이를 칭찬하셨어요.

그리고 사탕까지 한 주먹 주셨지요.

준이는 정말 기분이 좋았어요.

어휘 풀이

- **칭찬**(일컬을 칭 稱, 기릴 찬 讚) 좋은 점이나 잘한 일 등을 매우 훌륭하게 여기는 마음을 말로 나타냄. 또는 그런 말. ㉔ 선생님께 인사를 잘했다고 칭찬을 받았다.
- **주먹** 한 손에 쥘 만한 분량을 세는 단위.
  ㉔ 엄마께서는 찌개에 새우 한 주먹을 넣으셨다.

▶정답 14쪽

다음 그림을 보고, 준이가 한 일에 맞게 빈칸의 낱말을 각각 따라 쓰세요.

❶ 준이는 길거리에 있는 쓰 레 기 를 주웠어요.

❷ 준이는 할머니께 은행으로 가는 길을 친 절 하게 알려 드렸어요.

1에서 답한 내용을 보고, 마음에 드는 문장 한 가지를 골라 이 이야기의 가장 앞에 일어난 일을 쓰세요.

	준	이	는						

5일 이야기를 실감 나게 써요

다음 모습을 생생하게 나타낼 수 있는 표현을 떠올려 보고, 그림에 알맞은 낱말을 찾아 붙임딱지를 붙여 보세요. 붙임딱지 2

▶ 정답 15쪽

다음 그림에 이어진 선을 따라가 어울리는 낱말을 알아보세요. 또 제시된 문장을 실감 나게 쓰기 위해 넣어야 할 낱말을 골라 문장을 완성하고 따라 써 보세요.

	아	이	는	V	손	을	V			V
불	어	V	녹	였	어	요	.			

5일 이야기를 실감 나게 써요

다음 글을 읽고, [highlighted] 부분을 실감 나게 바꾸어 쓰세요.

숲속 결혼식

오늘은 코끼리 아가씨와 기린 총각이 결혼하는 날!

악어 누나가 피아노를 쳐요.

여우 아저씨가 사진을 찍어요.

모두가 즐겁고 행복해요.

▶정답 15쪽

다음 그림을 보고, 빈칸에 알맞은 낱말을 보기에서 각각 골라 쓰세요.

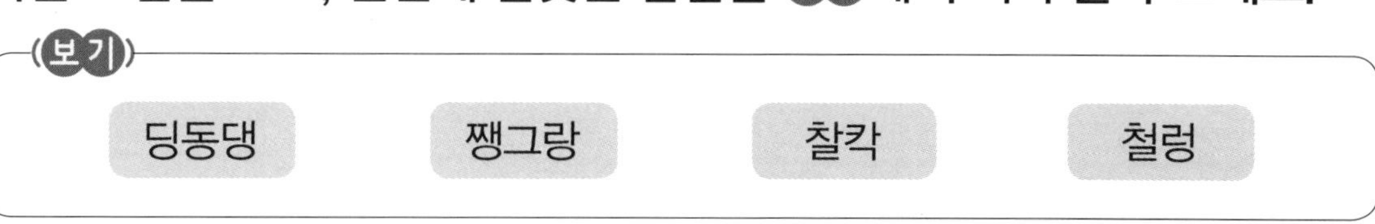

❶ 악어 누나가 ______ 피아노를 쳐요.

❷ 여우 아저씨가 ______ 사진을 찍어요.

2 단계 1의 문장을 넣어 ______ 부분을 실감 나게 바꾸어 쓴 글을 완성하고 따라 쓰세요.

	❶악	어	V	누	나	가	V		
	V					V	쳐	요	.
	❷여	우	V	아	저	씨	가	V	
	V				V	찍	어	요	.

누구나 100점 테스트

1 다음 그림을 보고, 빈칸에 들어갈 알맞은 말을 골라 따라 쓰세요.

달리기 시합에서 거북이가 토끼를 이겼어요. 거북이는 무척 [ ].

2 다음 그림을 보고, 사자의 말을 알맞게 상상하여 쓴 것에 ○표를 하세요.

(1) 나를 도와주어 고맙구나. ( )

(2) 너를 꼭 잡아먹을 것이다. ( )

3 다음 장면의 뒤에 일어날 일을 알맞게 쓴 친구에 ○표를 하세요.

곰이 참외를 주워 먹었다는 내용으로 썼어.

곰이 바나나 껍질을 밟고 넘어졌다는 내용으로 썼어.

▶정답 16쪽

글쓰기

4 다음 장면의 앞에 어떤 일이 일어났을지 보기의 말을 모두 이용하여 문장을 완성하고 따라 쓰세요.

착한 아이로구나.
할머니께서는 준이를 칭찬하셨어요.

보기

들어	짐을
할머니의	드렸어요

	준	이	는	V					V
		V			V				

5 다음 문장을 더 실감 나게 표현하려고 해요. 빈칸에 들어갈 알맞은 낱말을 골라 색칠하세요.

호수가 [ ] 얼었어요.

- 꽁꽁
- 펄펄
- 찰칵
- 씽씽

2주 특강

캠핑을 하며 만날 수 있는 흉내 내는 말을 살펴보고, 따라 써 봐요. 흉내 내는 말에 알맞은 붙임딱지도 함께 붙여 보세요. 붙임딱지 3

반짝반짝
두둥실
별이 빛나는 것 좀 봐.
오늘따라 달도 밝네.

불이 꺼져 간다, 냐옹.

낙엽을 더 넣어 보자.

불이 다시 타오르고 있어.
활활

추우니까 모두 여기에 모여 앉자꾸나.

▶정답 16쪽

캠핑을 하며 만날 수 있는 흉내 내는 말의 뜻을 알아봐요!

알맞은 모습의 붙임딱지를 붙여 보아요.

반짝반짝

작은 빛이 잠깐 잇따라 나타났다가 사라지는 모양.

알맞은 모습의 붙임딱지를 붙여 보아요.

두둥실

물 위나 공중으로 가볍게 떠오르거나 떠 있는 모양.

알맞은 모습의 붙임딱지를 붙여 보아요.

활활

불길이 세고 시원스럽게 타오르는 모양.

알맞은 모습의 붙임딱지를 붙여 보아요.

옹기종기

크기가 다른 작은 것들이 고르지 않게 많이 모여 있는 모양.

다음 그림에서 숨은 자음자와 모음자를 모두 찾아 ◯표를 하세요. 또 숨은 자음자와 모음자를 한데 모아 만든 낱말을 빈칸에 써서 생쥐의 말을 완성하세요.

숨은 자음자와 모음자: ㄱ, ㄴ, ㅊ, ㅜ, ㅣ

창의 숨은 자음자와 모음자를 모두 찾아보고, **자음자와 모음자를 한데 모아 낱말**을 만들어 봅니다.

▶정답 17쪽

애벌레의 이야기를 떠올려 보며 빈칸에 알맞은 낱말을 쓰고, 다음 그림의 반쪽을 그려 색칠하세요.

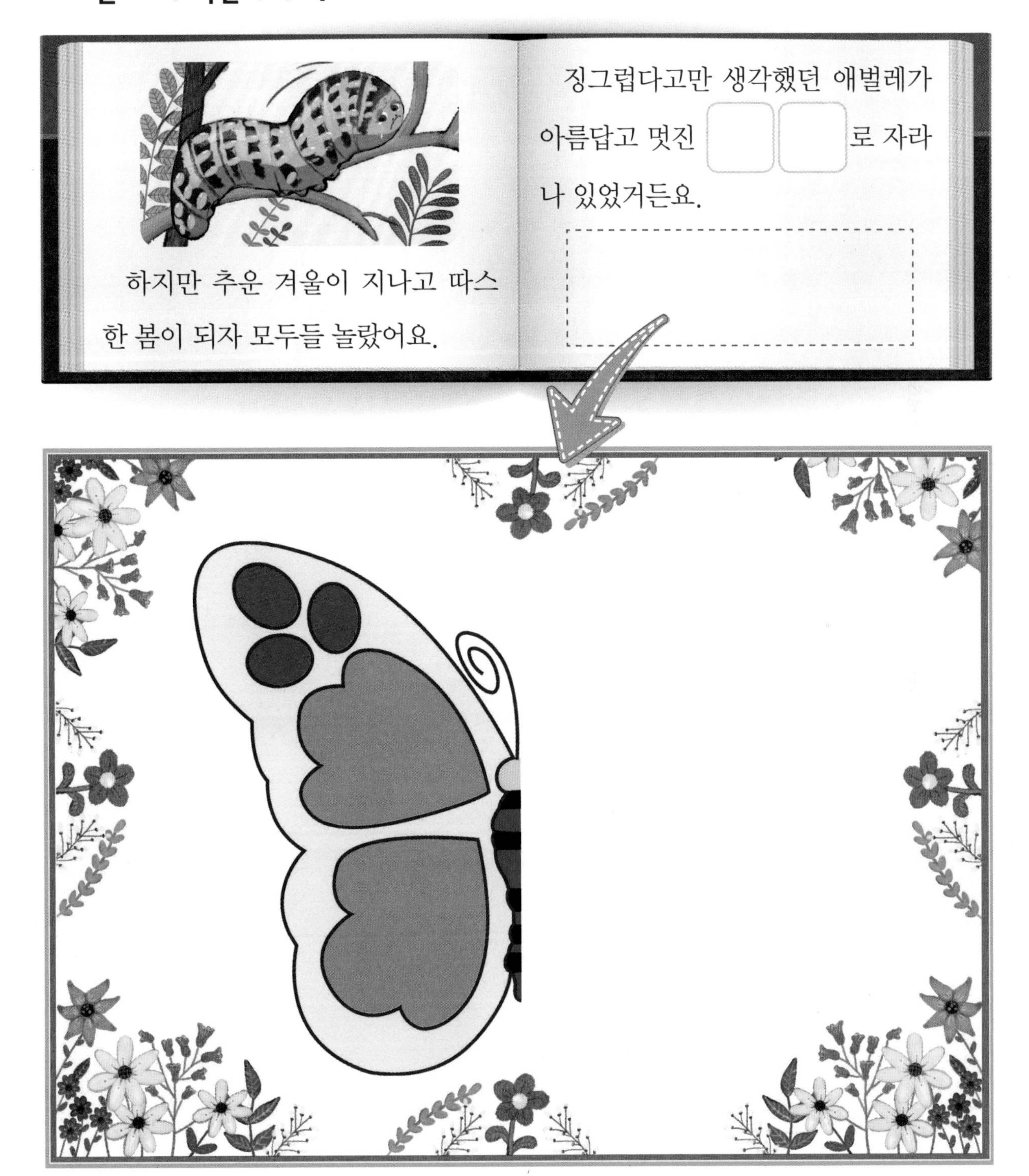

하지만 추운 겨울이 지나고 따스한 봄이 되자 모두들 놀랐어요.
징그럽다고만 생각했던 애벌레가 아름답고 멋진 ☐☐로 자라나 있었거든요.

융합 국어+미술

애벌레가 봄이 되어 어떻게 자라나 있었는지 떠올려 써 보고, **그림의 반쪽**을 완성해 봅니다.

다음 상황 앞에 일어난 일을 상상하며 일이 일어난 차례대로 빈칸에 알맞은 숫자를 각각 써 보세요.

현서는 이가 너무 아파서 엉엉 울었어요.

세균들은 힘을 모아 현서의
이를 공격하기 시작했어요.

한 세균이 현서의 이 사이에서
초콜릿 찌꺼기를 찾아냈어요.

 **창의** **이가 아프기 전에 일어난 일**은 무엇일지 상상하며 이야기의 차례를 생각해 봅니다.

▶정답 17쪽

신랑과 신부가 실감 나는 표현을 바르게 쓴 문장을 모두 지나 결혼식장에 도착할 수 있도록 코딩 카드의 빈칸에 알맞은 방향의 화살표를 각각 쓰세요.

출발
하마 아저씨가 큰북을 둥둥둥 쳐요.
꾀꼬리 아주머니가 개굴개굴 노래해요.
코알라 동생이 작은북을 동동동 쳐요.
호랑이 할아버지가 덩실덩실 춤을 춰요.
원숭이 형이 주룩주룩 박수를 쳐요.
도착

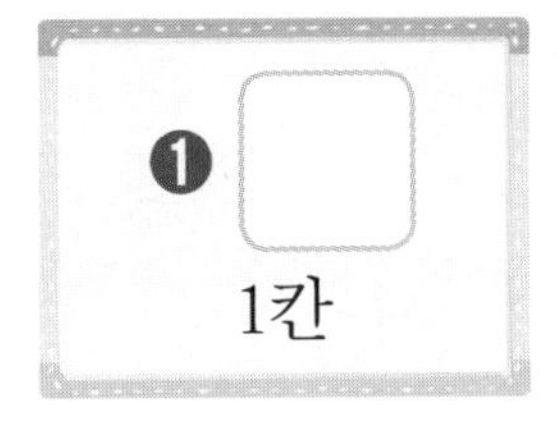

❶
1칸

❷
1칸

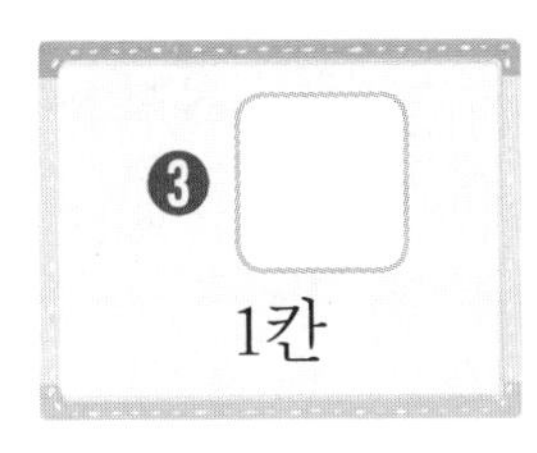

❸
1칸

❹
1칸

코딩 실감 나는 표현을 알맞게 사용한 문장을 모두 지나려면 **어느 방향으로 움직여야 할지** 생각해 봅니다.

3주

3주에는 무엇을 공부할까? ❶

앞으로의 계획을 써 보자!

1일 사고 싶은 것을 써요
2일 가고 싶은 곳을 써요
3일 주말에 하고 싶은 일을 써요
4일 초등학생이 되면 하고 싶은 일을 써요
5일 자신의 꿈을 써요

3주

3주에는 무엇을 공부할까? ❷

이번 주에 배울 내용을 생각하며, 빈칸의 말을 따라 쓰세요.

1일 사고 싶은 것을 써요

2일 가고 싶은 곳을 써요

3일 주말에 하고 싶은 일을 써요

▶정답 18쪽

4일 초등학생이 되면 하고 싶은 일을 써요

5일 자신의 꿈을 써요

3주

사고 싶은 것을 써요

시호가 사고 싶어 하는 것들을 떠올리며, 그림에 알맞은 붙임딱지를 붙여 보세요.

붙임딱지 3

▶ 정답 19쪽

그림에 맞는 퍼즐 모양을 찾아 붙임딱지를 붙여 보세요.

퍼즐에 적힌 낱말을 각각 알맞은 빈칸에 넣어 문장을 완성하고 따라 써 보세요.

				와	V		을	V	사
고	V	싶	다	.					

1일 사고 싶은 것을 써요

다음 그림을 보고, 민희가 사고 싶은 것을 쓰세요.

▼ **작아** 정하여진 크기에 모자라서 맞지 않아. ㉠ 살이 쪄서 바지가 작아.

▶ 정답 19쪽

1단계 민희가 사고 싶은 것에 대해 글을 쓰려고 해요. 빈칸에 알맞은 낱말을 보기에서 각각 골라 쓰세요.

보기
작아졌기
적어졌기
싶다
쉽다
❶ 새 신발을 사고 .
❷ 신던 신발이 때
문이다.

2단계 1의 문장을 넣어 민희가 사고 싶은 것에 대해 쓴 글을 완성하고 따라 쓰세요.

2일 가고 싶은 곳을 써요

수호가 여름 방학 때 가고 싶은 곳을 찾아보고 있어요. 컴퓨터 화면 속 풍경을 색칠하여 그림을 완성해 보세요.

▶정답 20쪽

인물들이 들고 있는 글자를 사다리 타기를 하여 도착한 곳에 쓰세요.

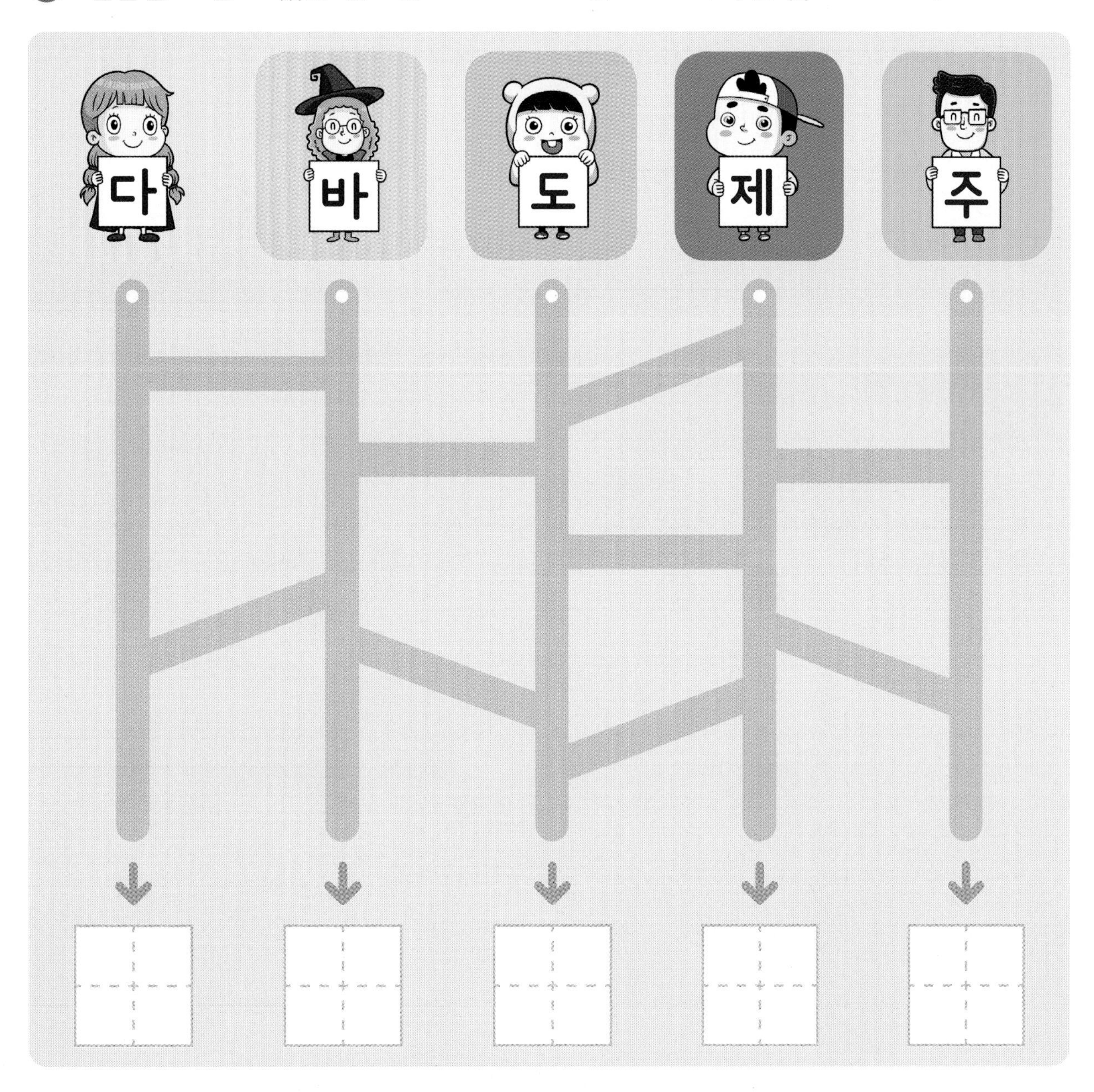

위에서 쓴 글자를 차례대로 빈칸에 넣어 문장을 완성하고 따라 써 보세요.

				V			에	V	가
고	V	싶	다	.					

2일 가고 싶은 곳을 써요

다음 그림을 보고, 준우가 가고 싶은 곳을 쓰세요.

어휘 풀이

▼ **도시**(도읍 도 都, 시장 시 市) 정치, 경제, 문화의 중심이 되고 사람이 많이 사는 지역.

예 우리나라에서 가장 큰 도시는 서울이다.

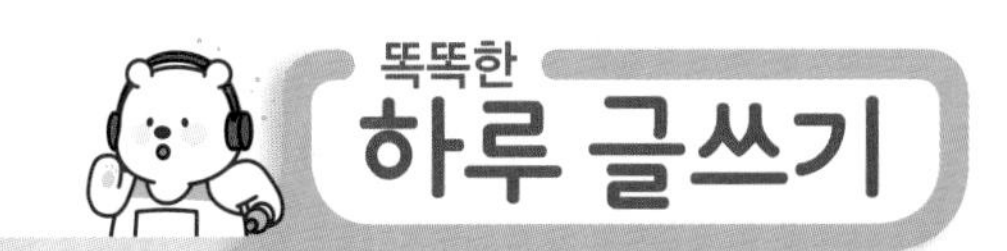

▶정답 20쪽

준우가 가고 싶은 곳에 대해 글을 쓰려고 해요. 빈칸의 말을 각각 따라 쓰세요.

❶ 책에서 에 펠 탑 을 보았다.

❷ 에펠 탑이 있는 프랑스 파 리 에 가 보고 싶다.

1의 문장을 넣어 준우가 가고 싶은 곳에 대해 쓴 글을 완성하고 따라 쓰세요.

	❶책	에	서	V			V			V
보	았	다	.	❷에	펠	V	탑	이	V	
있	는	V				V				V
가	V	보	고	V	싶	다	.			

주말에 하고 싶은 일을 써요

다음 네 가지 그림 중, 자신이 주말에 하고 싶은 일을 한 가지 이상 골라 색칠하여 그림을 완성해 보세요.

▶정답 21쪽

도착까지 가는 길에 찾은 글자를 차례대로 빈칸에 넣어 주말에 하고 싶은 일을 쓴 문장을 완성하고 따라 써 보세요.

			와	V	함	께	V		
를	V	하	고	V	싶	다	.		

주말에 하고 싶은 일을 써요

다음 만화를 읽고, 세호가 주말에 하고 싶은 일을 쓰세요.

어휘 풀이

- **쭉쭉** 여럿이 한 줄로 끊어지지 않고 이어지는 모양. ㉠ 고무줄을 쭉쭉 늘였다.
- **체험**(몸 체 體, 시험 험 驗) 자기가 몸소 겪음. 또는 그런 경험. ㉠ 귤 따기 체험을 했다.

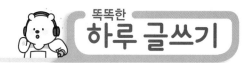

▶정답 21쪽

1 단계 세호가 주말에 하고 싶은 일에 대해 글을 쓰려고 해요. 빈칸의 낱말을 각각 따라 쓰세요.

❶ 피자의 치즈 가 늘어나는 것이 신기했다.

❷ 치즈 만들기 체험 을 하고 싶다.

2 단계 1의 문장을 넣어 세호가 주말에 하고 싶은 일에 대해 쓴 글을 완성하고 따라 쓰세요.

	❶피	자	의	∨				∨	
			∨	것	이	∨	신	기	했
다	.	❷		∨				∨	
	을	∨	하	고	∨	싶	다	.	

초등학생이 되면 하고 싶은 일을 써요

초등학생이 된 솔아와 민하의 모습을 살펴보며, 숨은 그림을 모두 찾아 ◯표를 해 보세요.

▶정답 22쪽

그림에 맞는 퍼즐 모양을 찾아 붙임딱지를 붙여 보세요.

퍼즐에 적힌 낱말을 각각 알맞은 빈칸에 넣어 문장을 완성하고 따라 써 보세요.

		가	V	작	아	서	V	못	V
탔	던	V			V			를	V
타	고	V	싶	다	.				

4일 초등학생이 되면 하고 싶은 일을 써요

다음 그림을 보고, 준하가 초등학생이 되면 하고 싶은 일을 쓰세요.

나는 얼마 전에 우리 학교 수영 대회에서 상을 탔어!
나는 지난 학기에 우리 반 반장을 했어.
준하
나도 초등학교에 가면 형, 누나들처럼…….

어휘 풀이

- **대회**(큰 대 大, 모일 회 會) 기술이나 재주를 겨루는 큰 모임. ㉠ 피아노 대회에서 1등을 했다.
- **상**(상줄 상 賞) 잘한 일이나 우수한 성적을 칭찬하여 주는 문서나 물건.
  ㉠ 진서는 모든 육상 대회의 상을 휩쓸었다.
- **반장**(나눌 반 班, 길 장 長) 교실을 한 단위로 하는 반을 대표하여 일을 맡아보는 학생.
  ㉠ 현준이가 반장으로 뽑혔다.

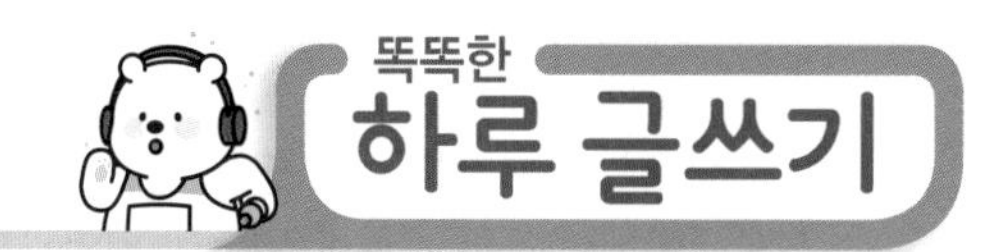

▶ 정답 22쪽

준하가 초등학생이 되면 하고 싶은 일에 대해 글을 쓰려고 해요. 그림을 보고, 빈칸에 알맞은 낱말을 보기 에서 각각 골라 쓰세요.

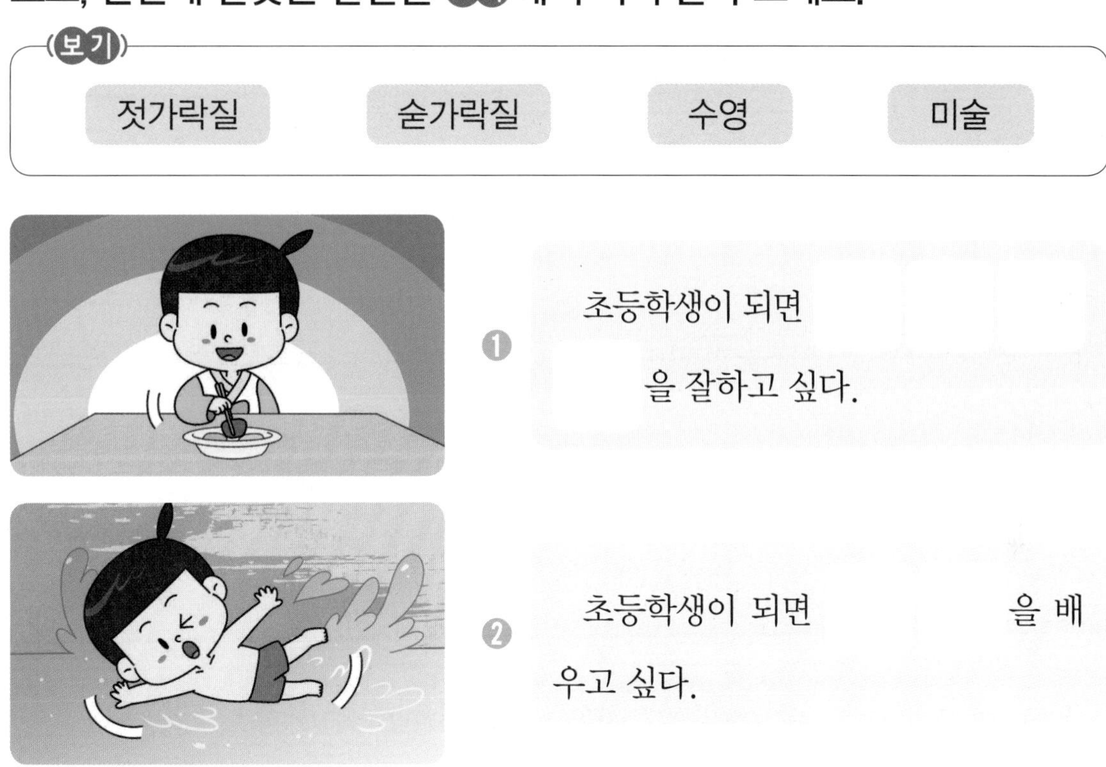

보기

젓가락질 　 숟가락질 　 수영 　 미술

❶ 초등학생이 되면 ______을 잘하고 싶다.

❷ 초등학생이 되면 ______을 배우고 싶다.

2 단계 다음 그림을 보고, 빈칸에 알맞은 낱말을 넣어 준하가 초등학생이 되면 하고 싶은 일에 대해 쓴 글을 완성하고 따라 쓰세요.

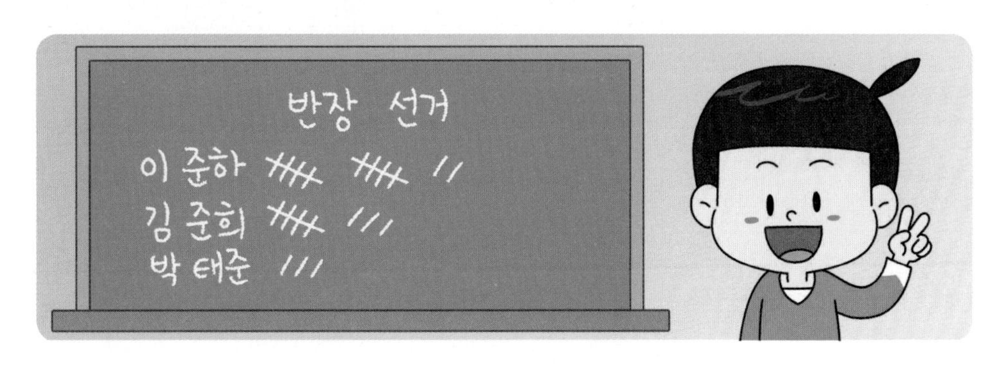

초 등 학 생 이 V 되 면 V
나 도 V 사 촌 V 형 처 럼 V
을 V 하 고 V 싶 다 .

자신의 꿈을 써요

친구들의 꿈을 살펴보고, 알맞은 붙임딱지를 붙여 보세요.

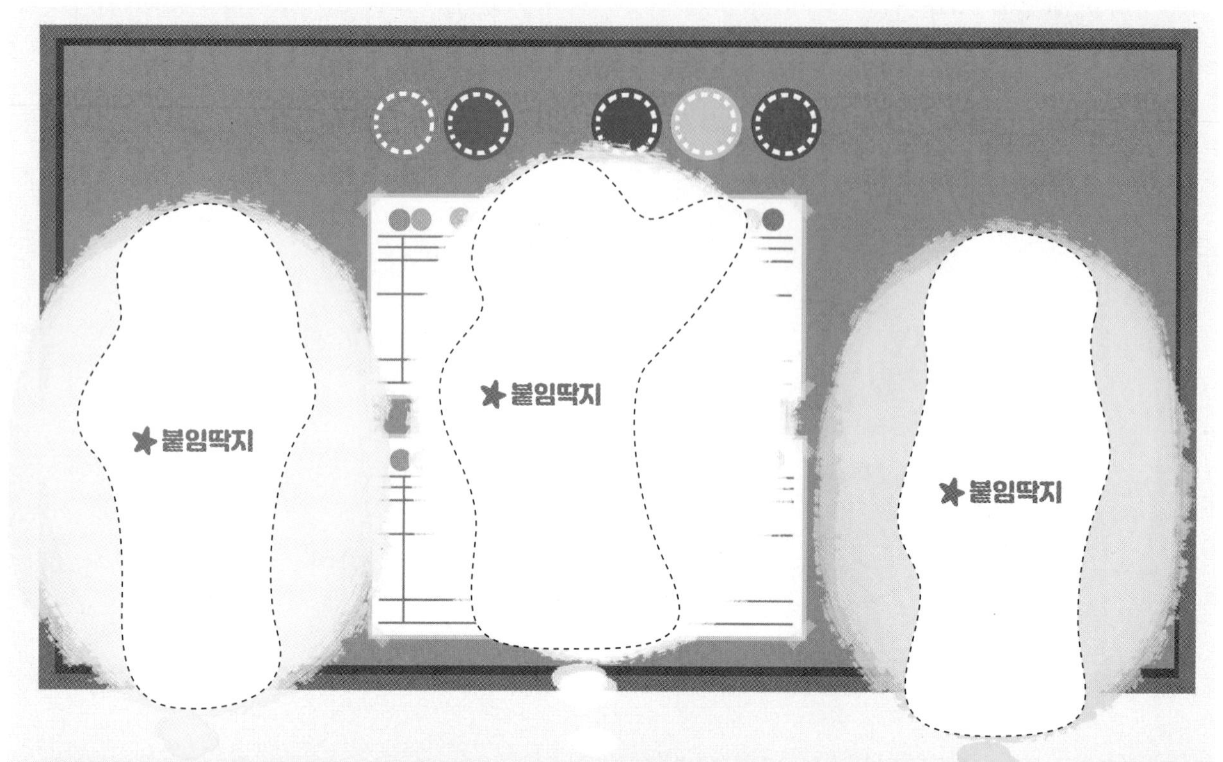

▶정답 23쪽

정음이가 사다리 타기를 하여 도착한 곳의 낱말을 빈칸에 넣어 문장을 완성하고 따라 써 보세요.

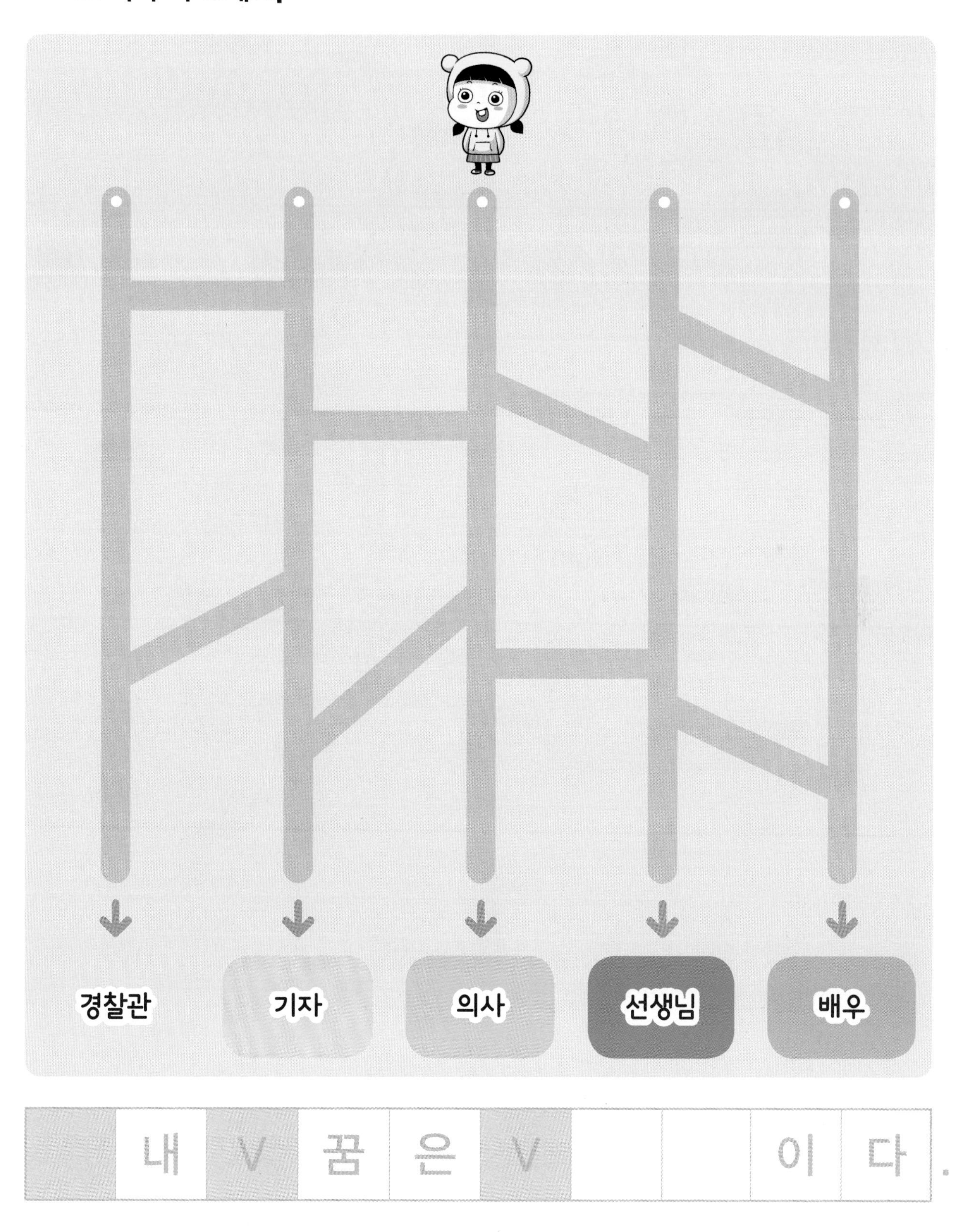

	내	V	꿈	은	V			이	다

.

5일 자신의 꿈을 써요

직업 체험관에 간 친구들의 모습을 보고, 자신의 꿈을 쓰세요.

소방서
내 장래 희망은 소방관이야.
119
미용실
나는 미용사가 되고 싶어.
빵집
나는 제빵사가 될 거야!
밀가루
우유

어휘 풀이

▼ **장래 희망**(장차 **장** 將, 올 **래** 來, 바랄 **희** 希, 바랄 **망** 望) 장차 하고자 하는 일이나 직업에 대한 희망. ㉠ 오빠의 장래 희망은 작가이다.

▼ **제빵사**(지을 **제** 製, 빵, 스승 **사** 師) 빵을 만드는 일을 전문으로 하는 사람.

▲ 제빵사

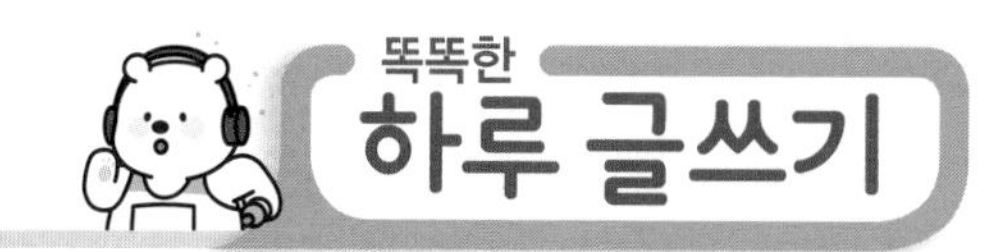
똑똑한
하루 글쓰기

▶ 정답 23쪽

1
단계

다음 친구들의 말을 읽고, 빈칸에 알맞은 낱말을 보기에서 각각 골라 쓰세요.

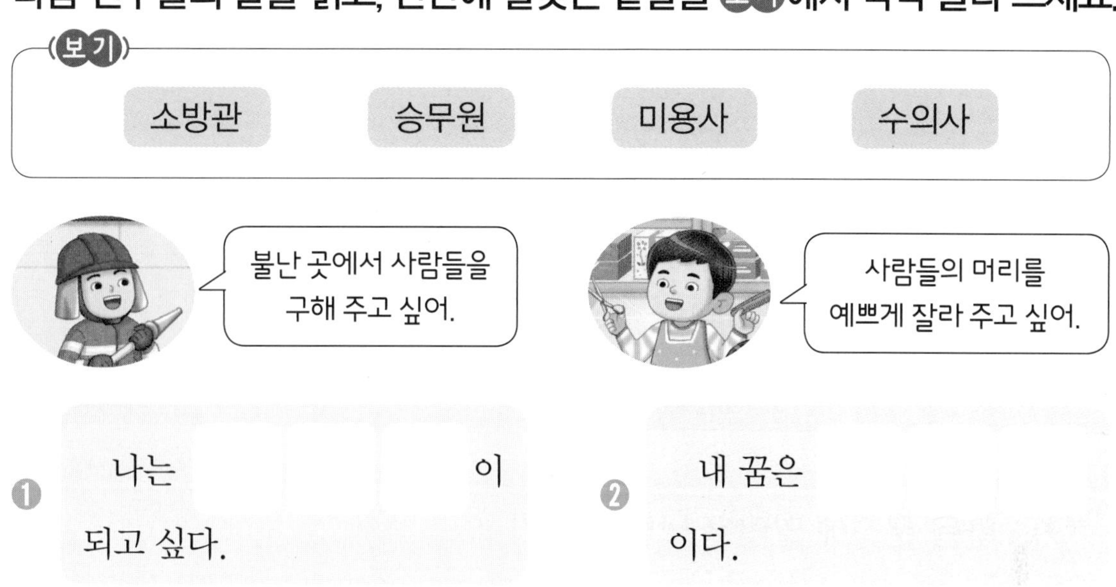
불난 곳에서 사람들을 구해 주고 싶어.
사람들의 머리를 예쁘게 잘라 주고 싶어.

보기

소방관 승무원 미용사 수의사

❶ 나는 이 되고 싶다.

❷ 내 꿈은 이다.

2 단계

다음 그림을 보고, 빈칸에 알맞은 말을 넣어 여자아이가 자신의 꿈에 대해 쓴 글을 완성하고 따라 쓰세요.

내 장래 희망은 제빵사야!
밀가루
우유
버터

	내	V			V				V
			이	다	.	맛	있	는	V
빵	을	V	실	컷	V	먹	고	V	싶
기	V	때	문	이	다	.			

3주

 누구나 100점 테스트

1 다음 그림 속 친구가 사고 싶은 것으로 알맞은 낱말에 ○표를 하세요.

(신발 , 안경)이 사고 싶어.

2 다음 문장에 알맞은 낱말을 골라 따라 쓰세요.

에펠 탑이 있는 프랑스 파리에  싶다.

사고 / 가고

3 주말에 하고 싶은 일에 대해 글을 쓰려고 해요. 다음 그림을 보고, 빈칸에 들어갈 알맞은 일을 골라 따라 쓰세요.

주말에 ( ) 체험을 하고 싶다.

치즈 만들기

김치 만들기

점수

▶정답 24쪽

4 다음 글을 읽고, 잘못 쓴 낱말을 찾아 바르게 고쳐 쓰세요.

초등학생이 되면 젖가락질을 잘하고 싶다.

(   )

↓

(   )

글쓰기

5 다음 그림을 보고, 나무에 걸린 낱말 중 알맞은 것을 골라 ㉠ 안에 들어갈 문장을 완성하고 따라 쓰세요.

	내	V	장	래	V	희	망	은	V
			이	다	.				

3주 특강

미술 시간에 만날 수 있는 흉내 내는 말을 살펴보고, 따라 써 봐요. 흉내 내는 말에 알맞은 붙임딱지도 함께 붙여 보세요.

붙임딱지 4

▶정답 24쪽

미술 시간에 만날 수 있는 흉내 내는 말의 뜻을 알아봐요!

알맞은 모습의
붙임딱지를 붙여 보아요.

싹둑싹둑

어떤 물건을 자꾸 자르거나 베는 소리. 또는 그 모양.

알맞은 모습의
붙임딱지를 붙여 보아요.

끈적끈적

자꾸 척척 들러붙을 만큼 끈끈한 모양.

알맞은 모습의
붙임딱지를 붙여 보아요.

덕지덕지

어지럽게 덧붙거나 겹쳐 있는 모양.

알맞은 모습의
붙임딱지를 붙여 보아요.

알록달록

여러 가지 빛깔의 무늬나 얼룩 등이 고르지 않게 있는 모양.

다음은 시호가 사고 싶은 것들을 그림으로 나타낸 것입니다. 다음 차례대로 물건들을 모두 지나갈 수 있도록 코딩 카드에 알맞은 숫자를 각각 쓰세요.

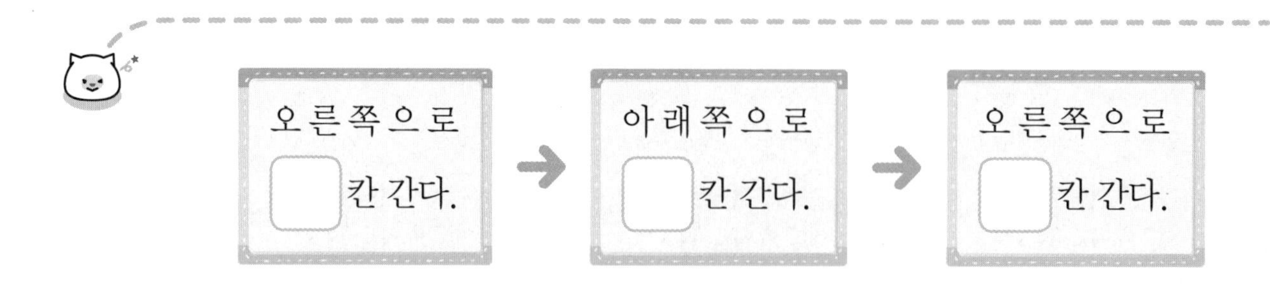

코딩 사고 싶은 것들을 떠올리며, **코딩 카드를 완성**해 봅니다.

▶ 정답 25쪽

아라와 훈민이의 말을 읽고, 지도에서 아라가 가고 싶은 도시가 있는 곳은 파란색, 훈민이가 가고 싶은 도시가 있는 곳에는 노란색을 색칠하세요.

나는 강원도의 평창에 가 보고 싶어! 2018년에 평창 올림픽이 열렸던 곳이래.

나는 전라남도의 여수에 가 보고 싶어. 바다 위를 가로지르는 케이블카가 있대.

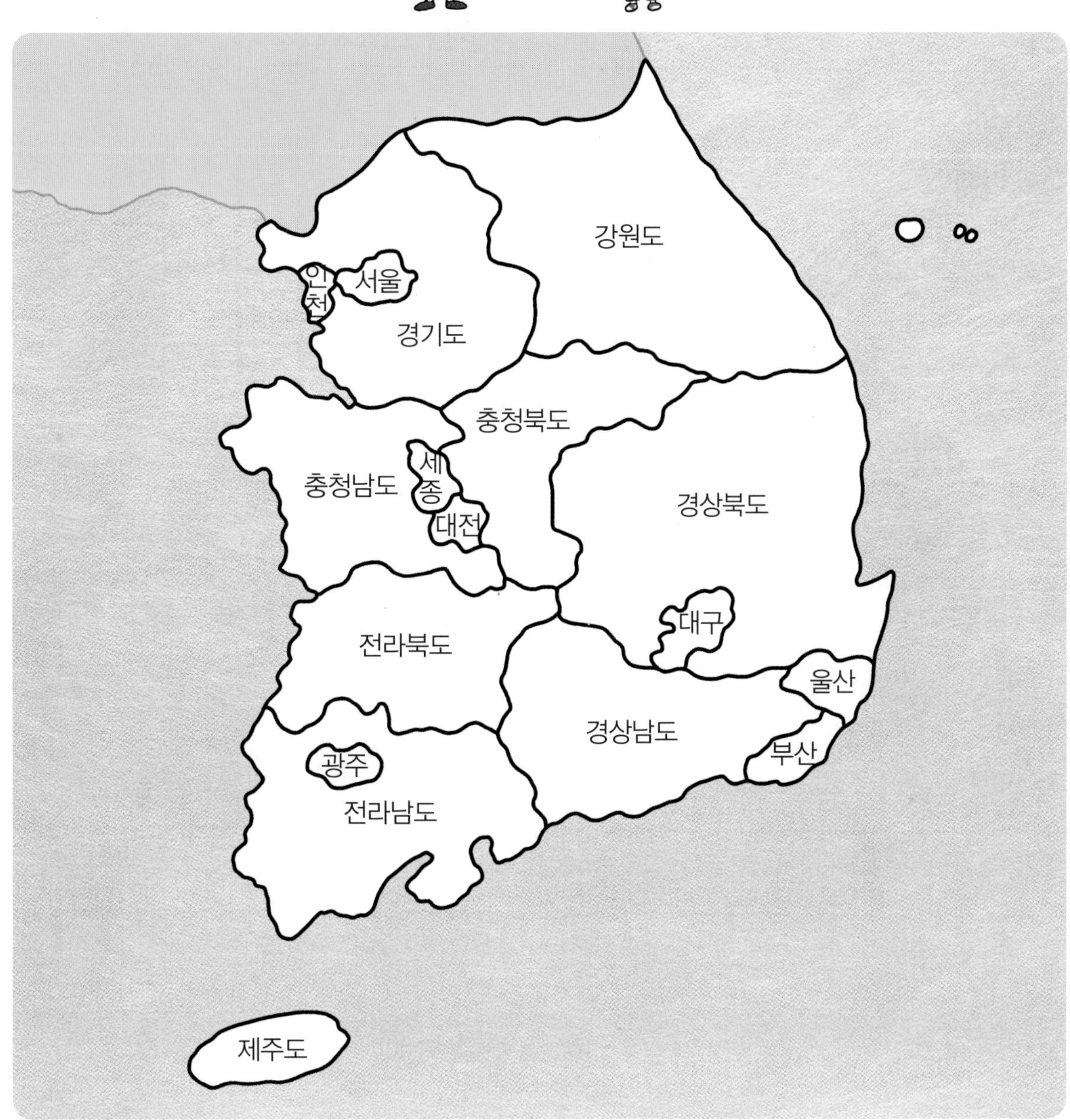

융합 국어+사회

우리나라 지도를 보고 **각 도시가 있는 곳**을 생각하며 알맞은 곳을 색칠해 봅니다.

지호가 주말에 하고 싶은 일에 대해 말하고 있어요. 다음 지호의 말을 읽고, 지호가 딸기 따기 체험을 하고 싶은 날짜를 쓰세요.

지호가 딸기 따기 체험을 하고 싶은 날짜는 ☐ 월 ☐ 일이에요.

융합 국어+수학 지호의 말과 달력을 함께 살펴보며 **달력 보는 방법**을 익혀 봅니다.

▶ 정답 25쪽

다음은 친구들이 자신의 꿈을 그림으로 그린 것이에요. 친구들의 그림을 보고, 그림이 나타내는 알맞은 직업을 보기에서 각각 골라 빈칸에 쓰세요.

보기

가수	화가	조종사	축구 선수

창의 친구들의 그림을 보고, **다양한 직업**에 대해 알아봅니다.

마무리 학습

공부한 내용을 정리해요

지난주에 동물원에서 무엇을 했더라?
아기 양을 쓰다듬었지. 폭신폭신해서 기분 좋았어.

어떻게 그렇게 자세히 기억하고 있어?
경험한 것들을 간단히 적어 놓았거든.

오빠의 고약한 방귀 냄새에 동물들도 달아나 버렸었지.

뿡

그런 것은 좀 잊어버리면 좋을 텐데…….

아라는 무엇을 쓰고 있었어?
마법 학교의 글쓰기 숙제로 이야기의 줄거리를 쓰고 있었어.

엥? 달리기 시합 중에 토끼가 잠들자 거북이가 깨워서 혼을 내었다고?

「토끼와 거북이」를 읽을 시간이 없어서 앞부분만 읽고 뒤에 일어날 일을 꾸며 썼거든. 재미있지 않니?
야옹!
뭐야, 그게!
숙제를 그렇게 대충 하면 어떡하나요?
펑
맞다! 리오가 선생님이었지!
선생님 앞에서 숙제를 얼렁뚱땅 하다니…….

지금부터 앞으로의 계획을 써 보세요! 대충 쓰지 말고요!
주말 동안 제대로 글쓰기 숙제를 하겠습니다.
초등학생이 되어서도 글쓰기 공부를 열심히 해야 해!

마무리 학습

마무리 학습

신경향 · 신유형 · 서술형 1

1 다음 그림에 어울리는 문장을 찾아 각각 선으로 잇고, 친구들이 어떤 경험을 했는지 생각하며 낱말을 따라 쓰세요.

동물원
호랑이의
으 르 렁 소리에
깜짝 놀랐다.
솜사탕은 무척
달 콤 했다.
귀여운 아기
사 자 를 보았다.

▶정답 26쪽

2 다음 여자아이가 경험한 일을 쓴 글을 보고, 그때 찍은 사진을 찾아 ○표를 하세요.

20○○년 5월 10일

유치원에서 딸기 농장에 갔다. 빨갛게 잘 익은 딸기를 잔뜩 땄다. 내가 딴 딸기로 만든 잼은 향기도 맛도 달콤했다.

마무리 학습

신경향 · 신유형 · 서술형 ②

3 다음 만화에 나오는 늑대와 아기 양의 말을 상상해 보고, 빈칸에 알맞은 말을 아래 문장에서 각각 골라 쓰세요.

내가 속았구나!	내 밥이로구나!	피리를 좀 불어 주세요.

▶정답 26쪽

4 다음 선을 따라가 문장을 완성하고, 문장에 어울리는 그림을 찾아 각각 선으로 이으세요.

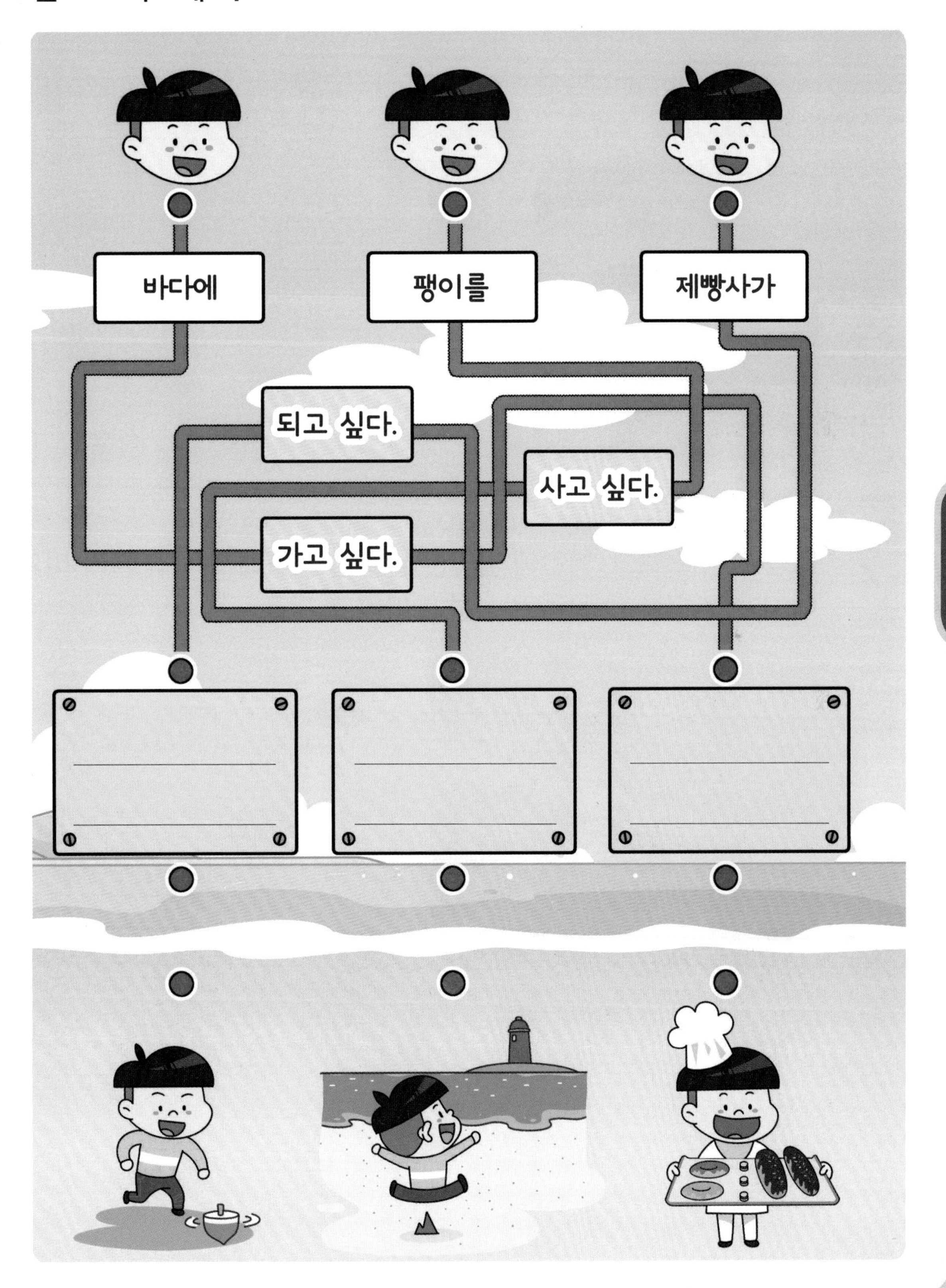

마무리 학습

기초 종합 정리 문제 1

1 다음 그림을 보고, 남자아이가 본 것으로 빈칸에 알맞은 낱말을 보기에서 각각 골라 쓰세요.

보기

파란　빨간　잠자리　메뚜기

☐☐ 고추 같은 ☐☐☐를 보았다.

글쓰기

2 다음 그림을 보고, 빈칸에 알맞은 낱말을 보기에서 각각 골라 비가 온 날에 대한 경험을 쓴 글을 완성하고 따라 쓰세요.

보기

소나기　함박눈

살랑살랑　주룩주룩

	창	밖	에	서	V				가 V
내	린	다	.					V	빗
소	리	가	V	들	린	다	.		

맞은 개수

▶ 정답 27쪽

3 혀로 맛본 것을 알맞게 쓴 문장이 되도록 어울리는 말끼리 각각 선으로 이으세요.

(1) 
초콜릿은 •

• ① 고소한 맛이 났다.

(2) 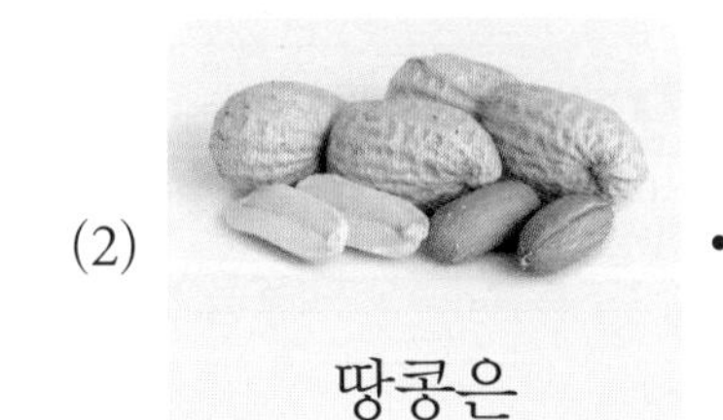
땅콩은 •

• ② 달콤하고 맛있었다.

4 다음 그림 속 상황에 맞게 빈칸에 알맞은 낱말을 보기에서 골라 쓰세요.

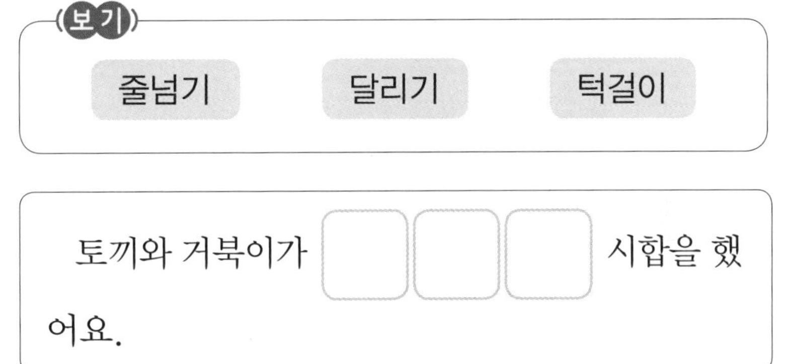

보기

줄넘기	달리기	턱걸이

토끼와 거북이가 ☐☐☐ 시합을 했어요.

5 다음 그림을 보고, 생쥐의 말을 알맞게 상상하여 쓴 것에 ○표를 하세요.

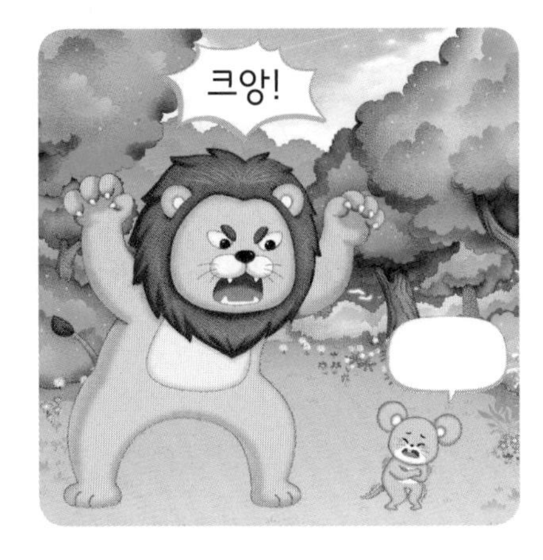

(1) 너를 잡아먹겠다. ( )

(2) 오늘 정말 심심하네. ( )

(3) 한 번만 살려 주세요. ( )

마무리 학습

기초 종합 정리 문제 ①

6 다음 이야기를 읽고, 뒤에 일어날 일을 알맞게 쓴 친구에 ○표를 하세요.

모두 애벌레를 놀렸어요.
애벌레가 징그럽게 생겼다고 말이에요.
애벌레는 너무 슬펐어요.

애벌레가 태어나는 모습이 잘 나타나게 썼어.

애벌레가 아름다운 나비가 되어 모두 놀라게 된다는 내용을 썼어.

7 다음 중 그림에 알맞은 낱말을 골라 각각 따라 쓰세요.

(1) 

여우 아저씨가 (펄 펄 , 찰 칵) 사진을 찍어요.

(2) 

악어 누나가 (딩 동 댕 , 꿍 꿍) 피아노를 쳐요.

8 다음 그림을 보고, 빈칸에 알맞은 낱말을 쓰세요.

새 ☐☐을 사고 싶다. 신던 신발이 작아졌기 때문이다.

9 주말에 하고 싶은 일을 그림으로 그리고 글로 썼어요. 알맞은 낱말을 골라 따라 쓰세요.

놀	이	공	원
해	수	욕	장

에서 놀이 기구를 타고 싶다.

글쓰기

10 다음 그림을 보고, 빈칸에 알맞은 낱말을 보기에서 골라 자신의 꿈에 대해 쓴 글을 완성하고 따라 쓰세요.

보기

미용사 제빵사

	나	는	V				가	V	되	
고	V	싶	다	.	사	람	들	의	V	
머	리	를	V	예	쁘	게	V	잘	라	V
주	고	V	싶	기	V	때	문	이	다	.

마무리 학습

마무리 학습 기초 종합 정리 문제 2

글쓰기

1 다음 그림을 보고, 빈칸에 알맞은 낱말을 보기에서 각각 골라 본 것을 설명하는 문장을 완성하고 따라 쓰세요.

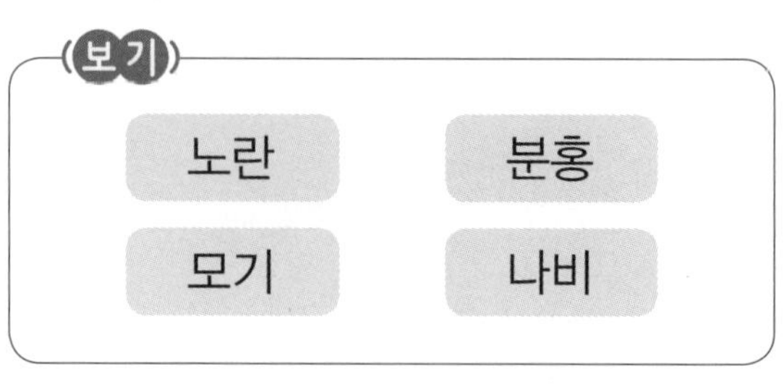

			V	민	들	레	V	위	에	V
파	란	V			가	V	앉	았	다	.

2 다음 글을 읽고, 친구가 키우고 있는 햄지가 어떤 동물인지 알맞은 동물의 사진에 ○표를 하세요.

내가 키우는 햄지는 털이 곱고 부드럽다. 쓰다듬으면 따뜻하고 폭신폭신해서 기분이 좋다.

맞은 개수

▶정답 28쪽

3 다음 중 그림에 알맞은 낱말을 골라 ○표를 하세요.

꽃에서 (향기로운 , 비린) 냄새가 났다.

4 다음 중 과일의 맛을 알맞게 표현한 낱말을 골라 따라 쓰세요.

(1) 

레몬은 (매콤 , 새콤)한 맛이 난다.

(2) 

잘 익은 수박은 (달고 , 쓰고) 시원하다.

5 다음 그림을 보고, 어떤 일이 일어나고 있는지 알맞게 쓴 것에 ○표를 하세요.

(1) 거북이가 낮잠을 자고 있어요. ( )

(2) 거북이가 잠든 토끼 앞을 지나갔어요. ( )

(3) 달리기 시합에서 토끼가 거북이를 이겼어요. ( )

마무리 학습

기초 종합 정리 문제 ❷

6 다음 빈칸에 들어갈 말로 알맞은 것을 골라 따라 쓰세요.

현서는 밥을 먹고 양치질을 (　　　　).

현서는 이가 너무 아파 엉엉 울었어요.

글쓰기

7 다음 문장에 흉내 내는 말을 넣어 실감 나게 표현하려고 해요. 빈칸에 알맞은 낱말을 보기에서 골라 문장을 완성하고 따라 쓰세요.

아이가 쌓인 눈을 밟아요.

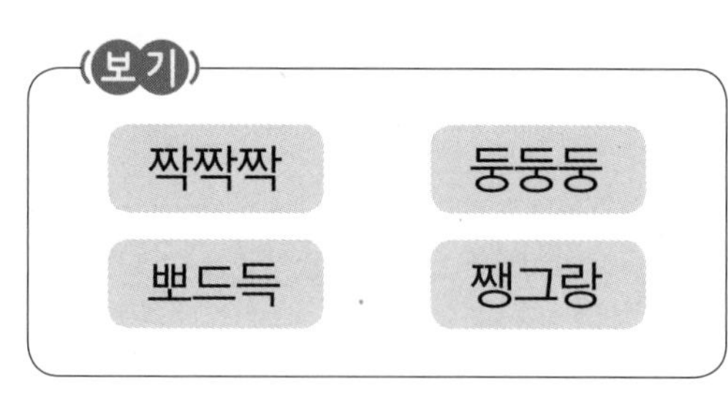

	아	이	가	V	쌓	인	V	눈	을 V
			V	밟	아	요	.		

8 다음 중 알맞은 낱말을 골라 ◯표를 하세요.

별 모양의 쿠키가 (사고 , 되고) 싶다.

9 다음 그림 속 상황에 맞게 빈칸에 알맞은 낱말을 보기에서 골라 쓰세요.

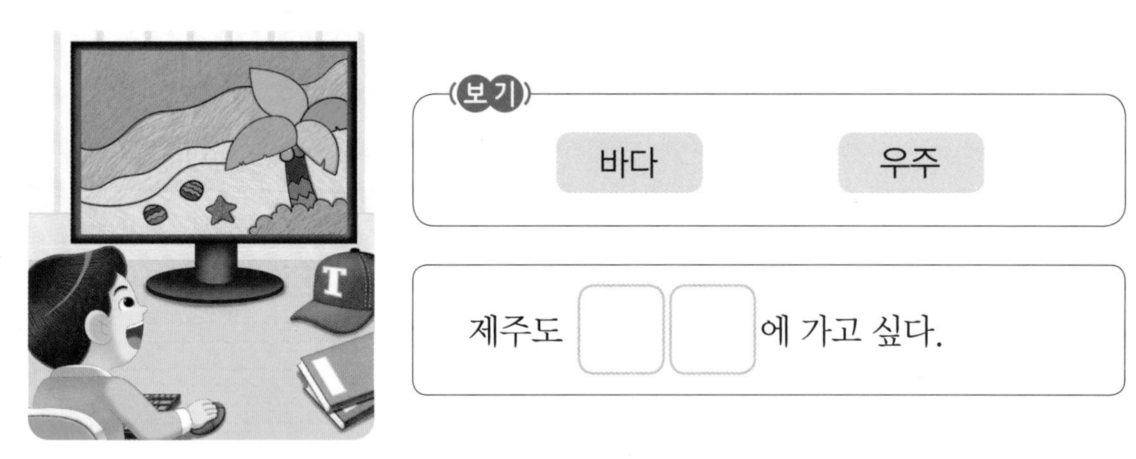

10 그림과 어울리는 자신의 꿈에 대한 문장을 각각 선으로 잇고, 낱말을 따라 쓰세요.

(1)  •

(2) 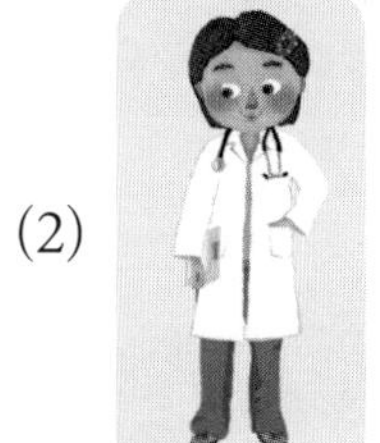 •

• ① 내 꿈은 의사야.

• ② 나는 경찰관이 되고 싶어.

마무리 학습

똑똑한 하루 글쓰기 한권 끝!

글쓰기 공부 하느라 수고했어요.
교재를 꾸준히 잘 풀었는지 돌아보고 ○표를 하세요.

약속한 사람 ______________

첫째, 하루하루 빠짐없이 꾸준히 공부했나요?	예	아니요
둘째, 하루 글쓰기 문제를 끝까지 다 풀었나요?	예	아니요
셋째, 또박또박 바르게 글씨를 썼나요?	예	아니요

아쉽고 부족한 부분을 스스로 돌아보고,
다음 단계를 공부할 때에는 더 열심히 해 봐요!

메모하기

기억에 남는 일을 일기로 남겨 봐요.

즐겁고 행복했던 일

날짜:

날씨:

제목:

슬프고 속상했던 일

날짜:

날씨:

제목:

어휘 모음 카드

카드 위쪽의 구멍을 뚫고 묶어서 사용하세요.

다음 어휘 모음 카드와 주별 어휘 카드를 이용하여 놀이를 해 보세요.

▶ 점선을 따라 접어서 뜯어 쓰세요.

카드 위쪽의 구멍을 뚫고 묶어서 사용하세요.

어휘 카드 놀이 방법 ❷

여럿이서 놀 때에는 이렇게 놀아요.

① 한 주의 어휘 카드 8개를 그림이 위로 오도록 바닥에 모두 깔아 놓아요.

② 한 명은 '1~3주 어휘 모음 카드'를 보고 어휘의 뜻을 하나씩 읽어 줘요.

③ 나머지 사람들은 어휘의 뜻을 듣고, 뜻에 알맞은 어휘 카드를 재빨리 찾아서 가지고 와요.

④ 놀이가 끝난 후에 누가 어휘 카드를 더 많이 가지고 있는지 세어 봐요.

어휘 카드 놀이 방법 ❶

둘이서 놀 때에는 이렇게 놀아요.

① 한 주의 어휘 카드 8개를 그림이 위로 오도록 바닥에 모두 깔아 놓아요.

② 한 명은 '1~3주 어휘 모음 카드'를 보고 어휘의 뜻을 하나씩 읽어 줘요.

③ 다른 한 명은 어휘의 뜻을 듣고, 뜻에 알맞은 어휘 카드를 찾아요. 기회는 딱 한 번이에요.

④ 놀이가 끝난 후에 몇 장의 어휘 카드를 정확히 찾았는지 세어 봐요.

1주 어휘 모음 카드 ❷

뜻	어휘
⑤ 생물의 두 갈래 중에서 먹이로 영양분을 얻고 자유롭게 몸을 움직일 수 있는 생물.	**동물**
⑥ 꽃, 향, 향수 등에서 나는 좋은 냄새.	**향기**
⑦ 집에서 음식을 만들고 설거지를 하는 등 식사와 관련된 일을 하는 장소.	**부엌**
⑧ 알처럼 작고 둥글둥글하게 생긴 사탕.	**알사탕**

1주 어휘 모음 카드 ❶

뜻	어휘
① 자신이 실제로 해 보거나 겪어 봄. 또는 거기서 얻은 지식이나 기능.	**경험**
② 머리에 뿔 모양의 돌기가 있는 딱딱하고 검은 갈색의 껍질을 가진 곤충.	**장수풍뎅이**
③ 깊고 넓게 파인 땅에 물이 고여 있는 곳.	**연못**
④ 몸속에서 항문을 통해 몸 밖으로 나오는 고약한 냄새가 나는 기체.	**방귀**

어휘 모음 카드

카드 위쪽의 구멍을 뚫고 묶어서 사용하세요.

똑똑한
하루
글쓰기
3주
어휘 모음 카드 1

▶ 점선을 따라 접어서 뜯어 쓰세요.

2주 어휘 모음 카드 ①

① 사실 또는 작가의 상상력을 바탕으로 하여 재미와 감동을 줄 수 있도록 꾸며 쓴 글. **이야기**

② 운동 등의 경기에서 서로 실력을 발휘하여 승부를 겨룸. **시합**

③ 실제로 없는 것이나 경험하지 않은 것을 머릿속으로 그려 봄. **상상**

④ 물체의 겉을 싸고 있는 단단하지 않은 것. **껍질**

2주 어휘 모음 카드 ②

⑤ 알에서 나와 다 자라지 않은 벌레. **애벌레**

⑥ 좋은 점이나 잘한 일 등을 매우 훌륭하게 여기는 마음을 말로 나타냄. 또는 그런 말. **칭찬**

⑦ 남자와 여자가 법적으로 부부가 됨. **결혼**

⑧ 사물의 모습을 오래 남길 수 있도록 사진기로 찍어 종이나 컴퓨터 등에 나타낸 영상. **사진**

3주 어휘 모음 카드 ①

① 앞으로 할 일의 절차, 방법, 규모 따위를 미리 헤아려 작정함. 또는 그 내용. **계획**

② 정치, 경제, 문화의 중심이 되고 사람이 많이 사는 지역. **도시**

③ 한 주일의 끝 무렵. 주로 토요일부터 일요일까지를 이름. **주말**

④ 자기가 몸소 겪음. 또는 그런 경험. **체험**

3주 어휘 모음 카드 ②

⑤ 기술이나 재주를 겨루는 큰 모임. **대회**

⑥ 잘한 일이나 우수한 성적을 칭찬하여 주는 문서나 물건. **상**

⑦ 장차 하고자 하는 일이나 직업에 대한 희망. **장래 희망**

⑧ 빵을 만드는 일을 전문으로 하는 사람. **제빵사**

카드 위쪽의 구멍을 뚫고 묶어서 사용하세요.

경험

장수풍뎅이

연못

방귀

▶ 점선을 따라 접어서 뜯어 쓰세요.

장수풍뎅이

머리에 뿔 모양의 돌기가 있는 딱딱하고 검은 갈색의 껍질을 가진 곤충.

예 **장수풍뎅이** 두 마리가 뿔을 맞대고 싸우고 있다.

경험

자신이 실제로 해 보거나 겪어 봄. 또는 거기서 얻은 지식이나 기능.

예 나는 유치원에서 여러 가지 **경험**을 했다.

방귀

몸속에서 항문을 통해 몸 밖으로 나오는 고약한 냄새가 나는 기체.

예 친구가 뿡뿡 **방귀**를 뀌었다.

연못

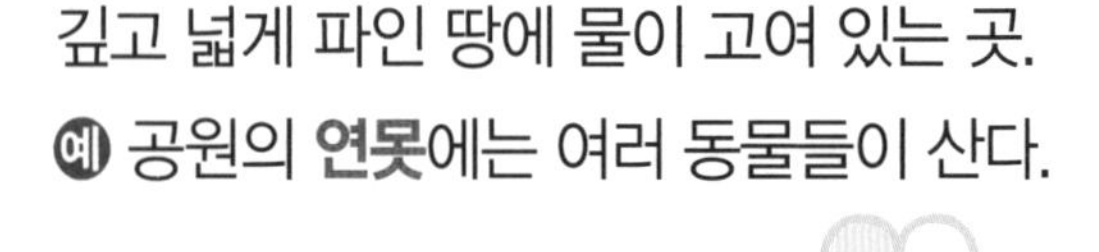

깊고 넓게 파인 땅에 물이 고여 있는 곳.

예 공원의 **연못**에는 여러 동물들이 산다.

카드 위쪽의 구멍을 뚫고 묶어서 사용하세요.

동물

향기

부엌

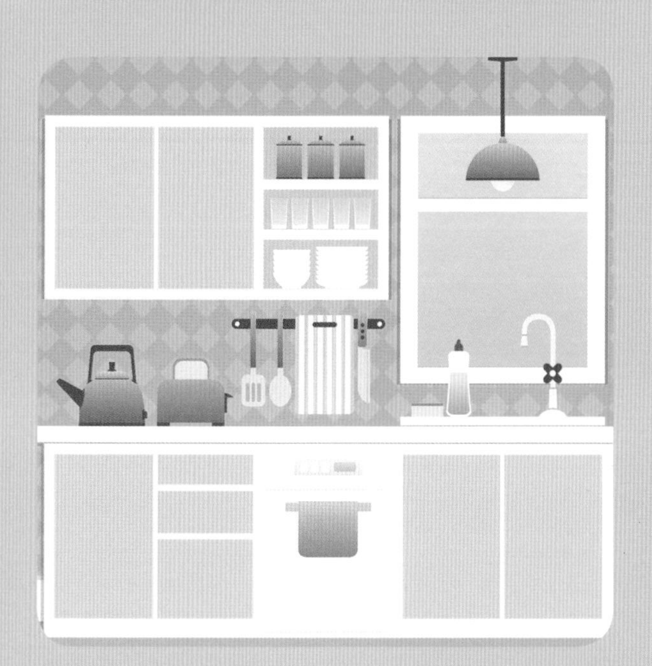

알사탕

▶ 점선을 따라 잘라서 붙여 쓰세요.

향기

꽃, 향, 향수 등에서 나는 좋은 냄새.

예 꽃밭을 지나는데 좋은 **향기**가 났다.

동물

생물의 두 갈래 중에서 먹이로 영양분을 얻고 자유롭게 몸을 움직일 수 있는 생물.

예 생물은 크게 **동물**과 식물로 나눌 수 있다.

알사탕

알처럼 작고 둥글둥글하게 생긴 사탕.

예 **알사탕** 한 알을 입 속에 쏙 넣었다.

부엌

집에서 음식을 만들고 설거지를 하는 등 식사와 관련된 일을 하는 장소.

예 아버지께서 **부엌**에서 설거지를 하신다.

카드 위쪽의 구멍을 뚫고 묶어서 사용하세요.

이야기

시합

상상

껍질

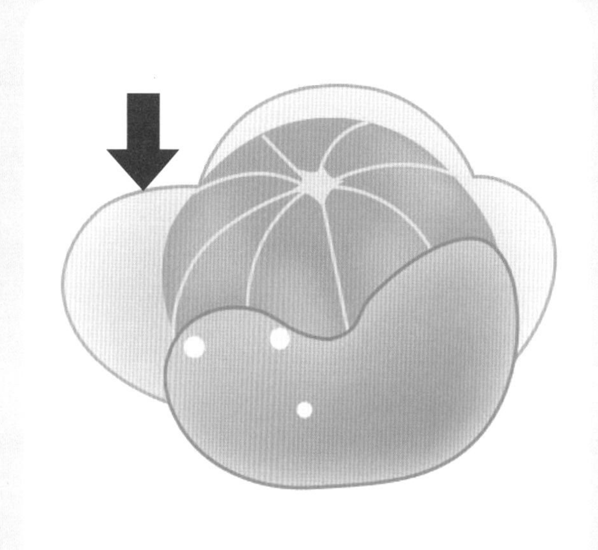

▶ 점선을 따라 접어서 뜯어 쓰세요.

시 합

이 야 기

운동 등의 경기에서 서로 실력을 발휘하여 승부를 겨룸.

예 우리 언니는 달리기 **시합**에 반 대표로 나갈 만큼 달리기를 잘한다.

사실 또는 작가의 상상력을 바탕으로 하여 재미와 감동을 줄 수 있도록 꾸며 쓴 글.

예 민재는 흥부와 놀부 **이야기**를 재미있게 읽었다.

껍 질

상 상

물체의 겉을 싸고 있는 단단하지 않은 것.

예 할머니께서는 귤의 **껍질**을 까서 내 입에 넣어 주셨다.

실제로 없는 것이나 경험하지 않은 것을 머릿속으로 그려 봄.

예 나는 가끔 하늘을 나는 **상상**을 한다.

카드 위쪽의 구멍을 뚫고 묶어서 사용하세요.

애벌레

칭찬

결혼

사진

▶ 점선을 따라 접어서 들어 쓰세요.

칭찬

좋은 점이나 잘한 일 등을 매우 훌륭하게 여기는 마음을 말로 나타냄. 또는 그런 말.

예 문제를 다 맞혀 선생님께 **칭찬**을 받았다.

애벌레

알에서 나와 다 자라지 않은 벌레.

예 **애벌레**가 나뭇잎 위를 꿈틀꿈틀 기어간다.

사진

사물의 모습을 오래 남길 수 있도록 사진기로 찍어 종이나 컴퓨터 등에 나타낸 영상.

예 우리 가족은 여행을 하며 **사진**을 많이 찍었다.

결혼

남자와 여자가 법적으로 부부가 됨.

예 아빠와 엄마는 십 년 전에 **결혼**을 하셨다.

카드 위쪽의 구멍을 뚫고 묶어서 사용하세요.

계획

도시

주말

5월

일	월	화	수	목	금	토
		1	2	3	4	5
6	7	8	9	10	11	12
13	14	15	16	17	18	19
20	21	22	23	24	25	26
27	28	29	30	31		

체험

▶ 점선을 따라 접어서 뜯어 쓰세요.

도시

정치, 경제, 문화의 중심이 되고 사람이 많이 사는 지역.

예 **도시**에는 높은 건물들이 많다.

계획

앞으로 할 일의 절차, 방법, 규모 따위를 미리 헤아려 작정함. 또는 그 내용.

예 체력을 키우기 위해 운동 **계획**을 짰다.

체험

자기가 몸소 겪음. 또는 그런 경험.

예 동물에게 먹이 주기 **체험**을 했다.

주말

한 주일의 끝 무렵. 주로 토요일부터 일요일까지를 이름.

예 **주말**에는 가족과 시간을 보낼 것이다.

카드 위쪽의 구멍을 뚫고 묶어서 사용하세요.

대회

상

장래 희망

제빵사

▶ 점선을 따라 접어서 뜯어 쓰세요.

상

잘한 일이나 우수한 성적을 칭찬하여 주는 문서나 물건.

예 미술 대회에서 **상**을 받았다.

대회

기술이나 재주를 겨루는 큰 모임.

예 언니가 테니스 **대회**에 학교 대표로 참가했다.

빵을 만드는 일을 전문으로 하는 사람.

예 **제빵사**는 아침부터 부지런히 빵을 만들었다.

장래 희망

장차 하고자 하는 일이나 직업에 대한 희망.

예 나의 **장래 희망**은 영화 감독이다.

붙임딱지 1

본문 12쪽

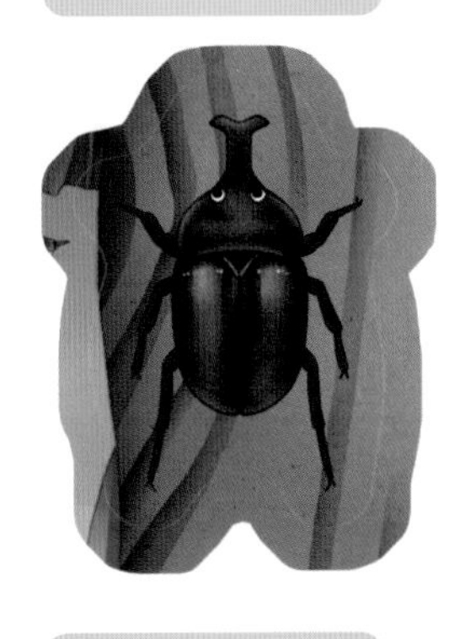

본문 13쪽

본문 24쪽

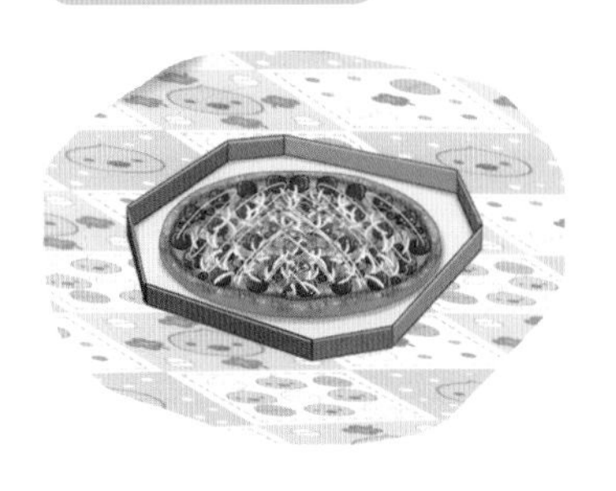

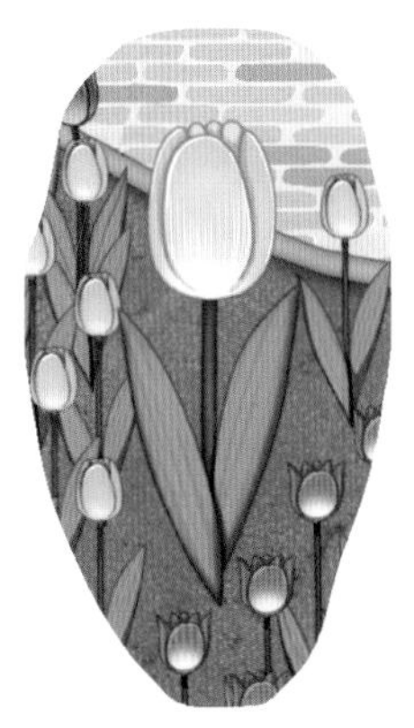

본문 35쪽

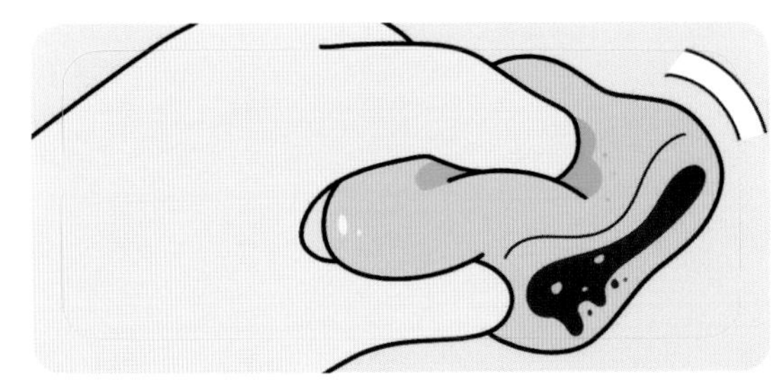

▶ 점선을 따라 접어서 뜯어 쓰세요.

붙임딱지 2

본문 45쪽

본문 48쪽

본문 60쪽

꽁꽁

뽀드득

펄펄

호호

씽씽

▶ 점선을 따라 접어서 뜯어 쓰세요.

붙임딱지 3

본문 67쪽

본문 76쪽

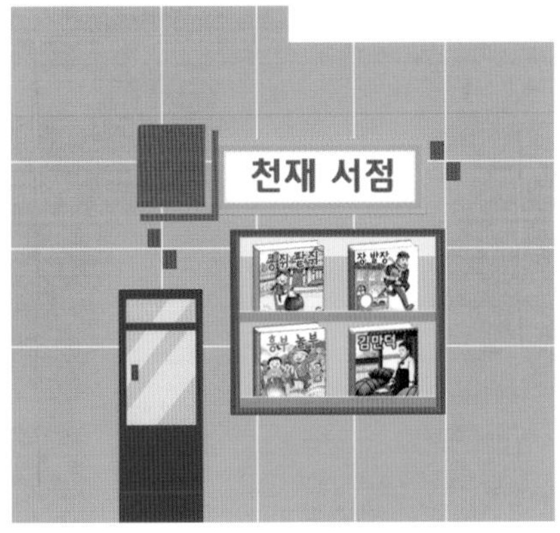

본문 77쪽

▶ 점선을 따라 접어서 뜯어 쓰세요.

붙임딱지 4

본문 89쪽

본문 92쪽

본문 99쪽

스케줄표

붙임딱지

하루 학습이 끝나면 스케줄표에 붙여 보세요!

1주

좋아요 잘했어 멋있어 훌륭해 놀라워 뿌듯해

1일 2일 3일 4일 5일 특강

2주

좋아요 잘했어 멋있어 훌륭해 놀라워 뿌듯해

1일 2일 3일 4일 5일 특강

3주

좋아요 잘했어 멋있어 훌륭해 놀라워 뿌듯해

1일 2일 3일 4일 5일 특강

마무리 학습

좋아요 잘했어 멋있어 훌륭해 놀라워 뿌듯해

필요한 곳에 붙여 보세요!

좋아요 잘했어 멋있어 훌륭해 놀라워 뿌듯해

좋아요 잘했어 멋있어 훌륭해 놀라워 뿌듯해

▶ 점선을 따라 접어서 붙여 쓰세요.

기초
학습능력 강화
프로그램

똑 똑 한
하루 글쓰기

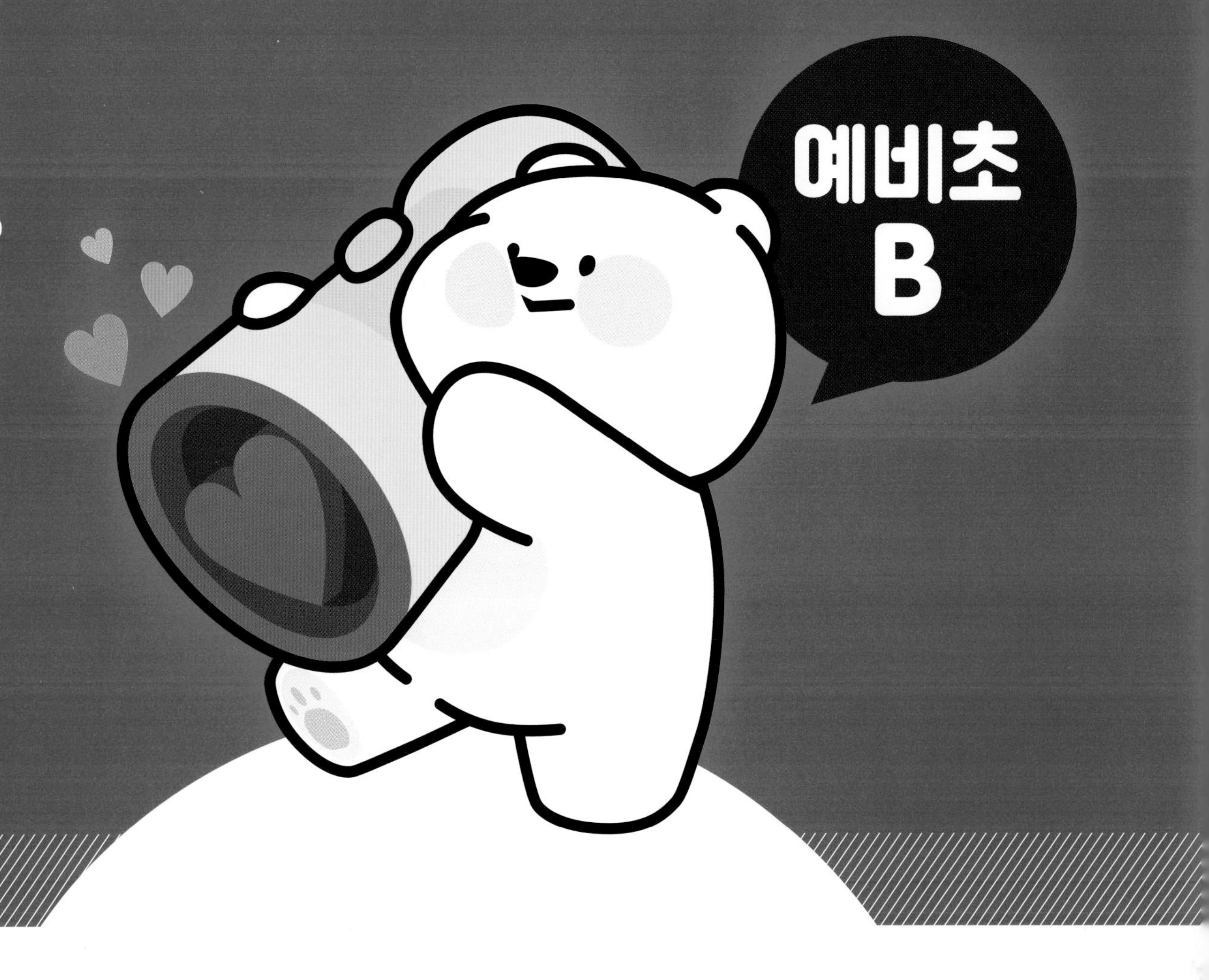

천재교육

똑 똑 한

하루 글쓰기

정답

정답

1주

무엇을 공부할까? 1

8~9쪽

1주 1주에는 무엇을 공부할까? ❶

1주

무엇을 공부할까? 2

10~11쪽

이번 주에 배울 내용을 생각하며, 빈칸의 말을 따라 쓰세요.

1주 1일

12~13쪽

● 공원에서 놀고 있는 친구들이 어떤 곤충들을 보았을지 생각하며, 그림에 알맞은 붙임딱지를 붙여 보세요. 붙임딱지 1

● 그림에 맞는 퍼즐 모양을 찾아 붙임딱지를 붙여 보세요. 붙임딱지 1

● 퍼즐에 적힌 낱말을 각각 알맞은 빈칸에 넣어 문장을 완성하고 따라 써 보세요.

	빨	간	∨	고	추	∨	같	은	∨
고	추	잠	자	리	를	∨	보	았	다.

1주 1일

14~15쪽

● 다음 그림을 보고, 지아가 무엇을 보고 어떤 생각을 했는지 쓰세요.

어휘 풀이

▾ **폴짝폴짝** 작은 것이 자꾸 세차고 가볍게 뛰어오르는 모양.
예 메뚜기는 폴짝폴짝 뛰어 풀잎 위로 올라갔다.

1단계 지아가 연못에서 무엇을 보았는지 생각하며 빈칸의 낱말을 각각 따라 쓰세요.

❶ 초록색 개 구 리 를 보았다.

❷ 폴 짝 폴 짝 뛰는 모습이 신기했다.

2단계 1의 문장을 넣어 지아가 쓴 글을 완성하고 따라 쓰세요.

	❶초	록	색	∨	개	구	리	를	∨
보	았	다.		❷폴	짝	폴	짝	∨	뛰
는	∨	모	습	이	∨	신	기	했	다.

정답

1주 2일

16~17쪽

승주가 키우는 아기 돼지가 풀숲에 숨어 있어요. 들리는 소리를 살펴보고, 아기 돼지를 찾아 ○표를 해 보세요.

좋아하는 동물을 골라 사다리 타기를 하여 울음소리를 알아보세요. 그리고 동물의 이름과 울음소리를 각각 알맞은 빈칸에 넣어 문장을 완성하고 따라 써 보세요.

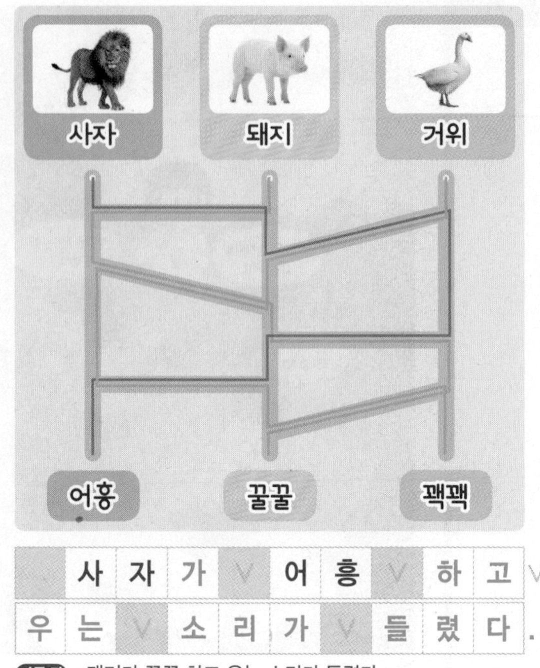

사자가 ∨ 어흥 ∨ 하고 ∨ 우는 ∨ 소리가 ∨ 들렸다.

다른 답 • 돼지가 꿀꿀 하고 우는 소리가 들렸다.
• 거위가 꽥꽥 하고 우는 소리가 들렸다.

1주 2일

18~19쪽

다음 그림을 보고, 선아가 어떤 소리를 들었는지 쓰세요.

1 단계 다음 그림을 보고, 선아가 어떤 소리를 들었을지 빈칸에 알맞은 말을 보기에서 각각 골라 쓰세요.

보기: 졸졸 뿡뿡 하하하 엉엉엉

❶ 동생이 뿡뿡 방귀를 뀌었다.

❷ 집 안에 하하하 웃음소리가 넘쳤다.

2 단계 1의 문장을 넣어 선아가 쓴 글을 완성하고 따라 쓰세요.

❶동생이 ∨ 뿡뿡 ∨ 방귀를 ∨ 뀌었다. ❷집 ∨ 안에 ∨ 하하하 ∨ 웃음소리가 ∨ 넘쳤다.

1주 3일

20~21쪽

다음 그림을 보고, 초롱이가 사고 싶어 하는 장난감에 ○표를 해 보세요.

아라가 설명하는 낱말을 찾아 빈칸에 넣어 문장을 완성하고 따라 써 보세요.

	강	아	지	∨	인	형	이	∨	무
척	∨	보	들	보	들	하	다	.	

1주 3일

22~23쪽

다음 만화를 읽고, 수정이가 무엇을 만지고 어떤 느낌을 받았는지 쓰세요.

어휘 풀이

- **햄스터** 황금햄스터 따위의 애완용 쥐. 몸길이 12~15cm로 밤에 활동하며 씨앗과 곤충 등을 먹는다.
- **물론**(말 물 勿, 논의할 론 論) 말할 것도 없음.
  예 사과는 물론이고, 귤도 달고 맛있었다.

▲ 햄스터

1단계 그림을 보고, 수정이가 무엇을 만져 보았는지 빈칸에 알맞은 말을 각각 쓰세요.

❶ 햄 스 터 를 손에 살포시 들어 보았다.

❷ 햄스터는 따 뜻 하 고 부드러웠다.

2단계 1의 문장을 넣어 수정이가 쓴 글을 완성하고 따라 쓰세요.

	❶햄	스	터	를	∨	손	에	∨	살
포	시	∨	들	어	∨	보	았	다	.
❷햄	스	터	는	∨	따	뜻	하	고	∨
부	드	러	웠	다	.				

정답

1주 4일

24~25쪽

공원에 온 친구들이 하는 말을 살펴보고, 그림에 알맞은 붙임딱지를 붙여 보세요. 붙임딱지 ①

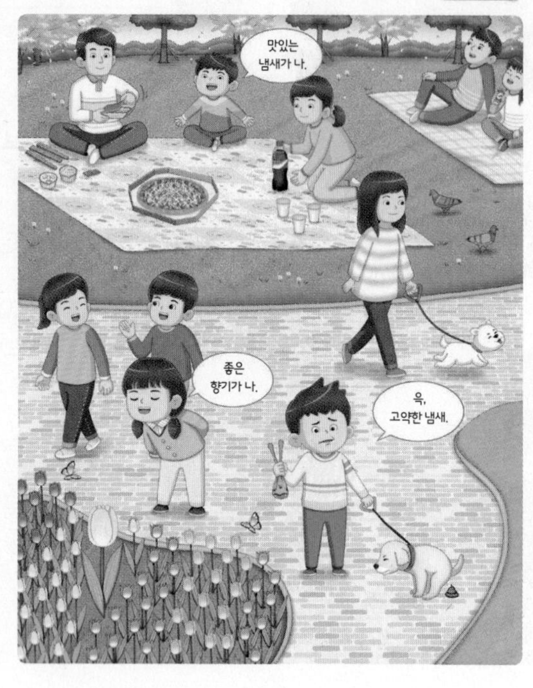

맛있는 냄새가 나.
좋은 향기가 나.
윽, 고약한 냄새.

꽃밭에 가는 길에 찾은 글자를 차례대로 빈칸에 넣어 문장을 완성하고 따라 써 보세요.

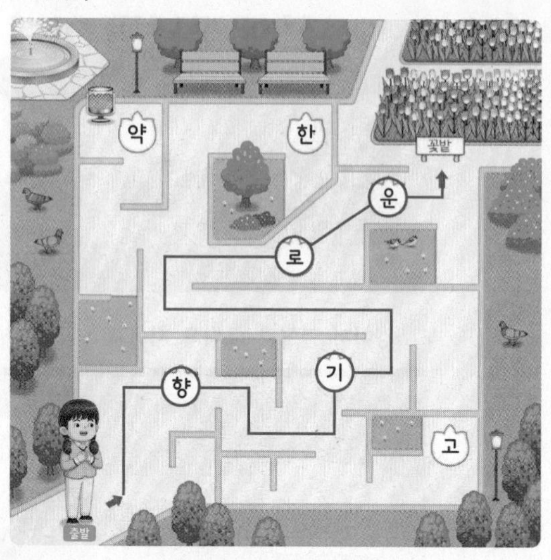

	꽃	에	서	∨	향	기	로	운	∨
냄	새	가	∨	났	다	.			

1주 4일

26~27쪽

다음 글을 읽고, 윤호가 어떤 냄새를 맡았는지 쓰세요.

일요일 아침, 윤호는 맛있는 냄새를 따라 부엌으로 나왔어요. 아빠께서는 맛있는 빵을 만들고 계셨어요.

빵에서 나는 달콤하고 고소한 냄새가 집 안을 가득 채웠어요.

1단계 윤호에게 어떤 일이 있었는지 빈칸에 알맞은 말을 보기에서 각각 골라 쓰세요.

보기: 빵 밤 소리 냄새

① 아빠께서 **빵** 을 구워 주셨다.

② 빵에서 달콤하고 고소한 **냄새** 가 났다.

2단계 1의 문장을 넣어 윤호가 쓴 글을 완성하고 따라 쓰세요.

	①아	빠	께	서	∨	빵	을	∨	구
워	∨	주	셨	다	.	②빵	에	서	∨
달	콤	하	고	∨	고	소	한	∨	냄
새	가	∨	났	다	.				

28~29쪽

다음 그림을 보고, 수호가 먹고 싶어 하는 것에는 ○표를 하고, 유리가 먹고 싶어 하는 것에는 △표를 해 보세요.

좋아하는 음식을 골라 사다리 타기를 하여 맛을 알아보세요. 그리고 음식의 이름과 맛을 각각 알맞은 빈칸에 넣어 문장을 완성하고 따라 써 보세요.

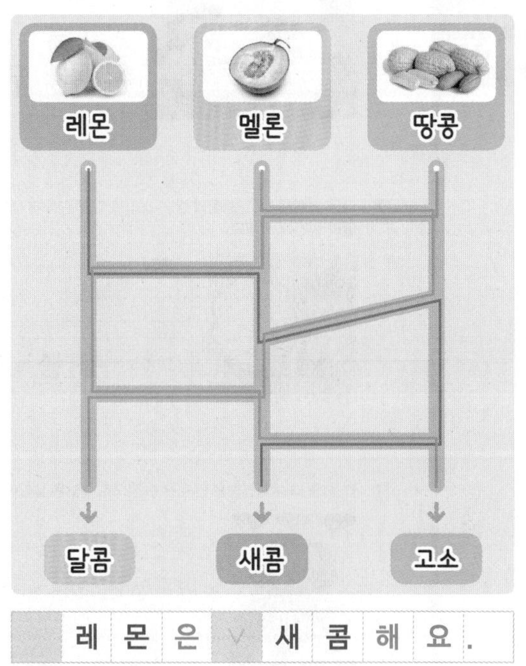

	레	몬	은	∨	새	콤	해	요	.

다른 답 • 멜론은 달콤해요.
• 땅콩은 고소해요.

30~31쪽

다음 만화를 보고, 윤아가 무엇을 맛보았는지 쓰세요.

어휘 풀이

* **얼얼해요** 맵거나 독하여 혀끝이 몹시 아리고 쏘는 느낌이 있어요.
  예 조그만 고추가 너무 매워서 혀가 얼얼해요.

1단계 다음 그림을 보고, 윤아가 무엇을 먹고 어떤 맛을 느꼈는지 빈칸에 알맞은 낱말을 각각 쓰세요.

❶ 아빠께서 **떡 볶 이** 를 만들어 주셨다.

❷ **맵 고** 얼얼했지만 맛있었다.

2단계 윤아가 떡볶이 다음에 먹은 것과 그에 알맞은 맛을 보기에서 각각 골라 빈칸에 넣어 글을 완성하고 따라 쓰세요.

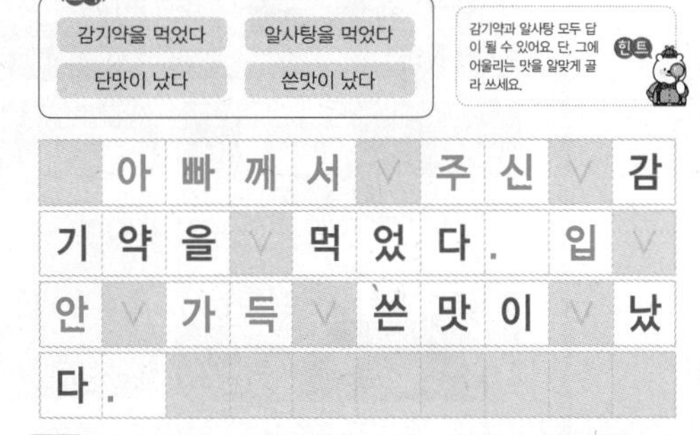

	아	빠	께	서	∨	주	신	∨	감
기	약	을	∨	먹	었	다	.	입	∨
안	∨	가	득	∨	쓴	맛	이	∨	났
다	.								

다른 답 아빠께서 주신 알사탕을 먹었다. 입 안 가득 단맛이 났다.

정답

1주 누구나 100점 테스트

32~33쪽

1 다음 그림에서 지아가 본 것이 무엇인지 골라 따라 쓰세요.

(1) 빨간색 잠자리를 보았다.

(2) 초록색 개구리를 보았다.

2 다음 그림을 보고, 동생의 방귀 소리로 알맞은 흉내 내는 말을 보기에서 골라 빈칸에 쓰세요.

보기: 쓱쓱 / 뿡뿡

동생이 뿡뿡 방귀를 뀌었다.

3 다음 중 그림의 인형을 만져 본 느낌으로 알맞은 낱말에 ○표를 하세요.

(폭신폭신(○), 미끈미끈)한 강아지 인형을 샀어요.

4 다음 그림 속 친구가 어떤 냄새를 맡았을지 알맞은 말을 보기에서 골라 쓰세요.

보기: 달콤하고 고소한 / 비릿하고 시큼한

아빠께서 구워 주신 빵에서 달콤하고 고소한 냄새가 났다.

곧쓰기

5 다음 그림을 보고, 알맞은 말을 보기에서 골라 윤아가 경험한 일을 완성하고 따라 쓰세요.

보기: 쓰고 짭짤했지만 / 맵고 얼얼했지만

아빠께서 떡볶이를 만들어 주셨다. 맵고 얼얼했지만 맛있었다.

1주 창의·융합·코딩

34~35쪽

과수원에서 만날 수 있는 흉내 내는 말을 살펴보고, 따라 써 봐요. 흉내 내는 말에 알맞은 붙임딱지도 함께 붙여 보세요. 붙임딱지 ①

과수원에서 만날 수 있는 흉내 내는 말의 뜻을 알아봐요!

주렁주렁
열매 따위가 많이 달려 있는 모양.

말랑말랑
매우 보들보들하여 연하고 부드러운 느낌.

아삭아삭
연하고 싱싱한 과일이나 채소 등을 보드랍게 베어 물 때 자꾸 나는 소리.

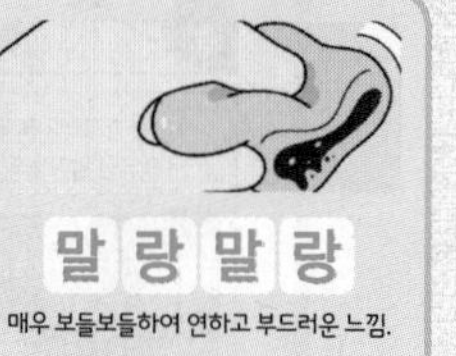

수북수북
쌓이거나 담긴 물건이 여럿이 다 불룩하게 많은 모양.

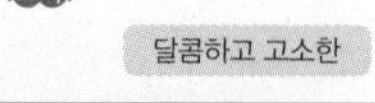

1주 창의·융합·코딩

36~37쪽

동물원에 간 지아가 사자를 보고 있어요. 그림의 점을 번호 순서대로 연결하여 지아가 본 사자의 모습을 완성하세요.

수사자는 갈기가 정말 크고 멋있어!
지아

융합 국어+수학 숫자를 작은 숫자부터 차례대로 선으로 이어 지아가 본 멋진 사자를 완성해 봅니다.

다음 소리를 따라가며 찾은 낱말을 각각 빈칸에 넣어 소리가 난 상황을 완성하여 쓰세요.

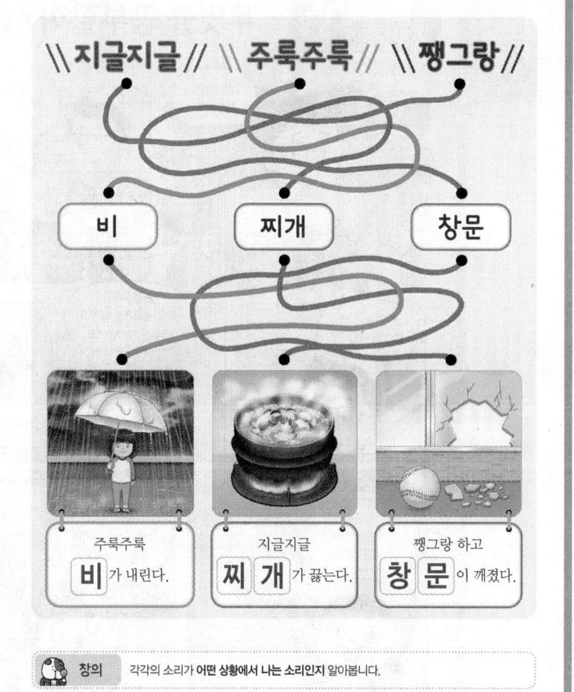

비 가 내린다.

찌 개 가 끓는다.
쨍그랑 하고
창 문 이 깨졌다.

창의 각각의 소리가 어떤 상황에서 나는 소리인지 알아봅니다.

1주 창의·융합·코딩

38~39쪽

가게에 온 윤아가 먹고 싶은 것을 찾고 있어요. 화살표를 따라 이동하여 윤아가 먹고 싶은 것을 찾아 ○표를 하세요.

오른쪽 | 오른쪽 | 오른쪽 | 아래쪽 | 아래쪽

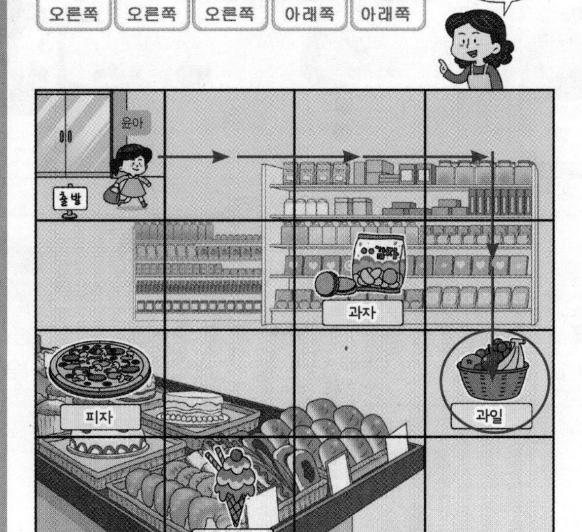

아이스크림

코딩 코딩 명령에 따라 이동하는 방법을 알아보며 길을 찾아가 봅니다.

다음 다섯 가지 질문에 답한 내용을 보고, 친구가 설명하는 것이 무엇인지 보기 에서 골라 쓰세요.

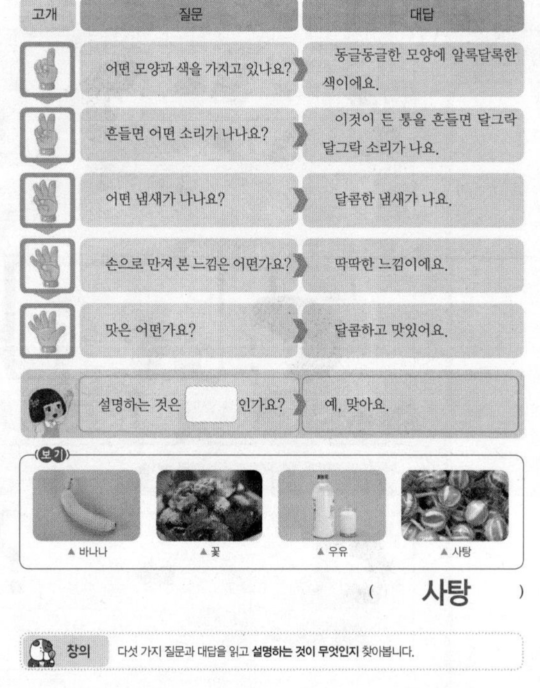

고개	질문	대답
1	어떤 모양과 색을 가지고 있나요?	동글동글한 모양에 알록달록한 색이에요.
2	흔들면 어떤 소리가 나나요?	이것이 든 통을 흔들면 달그락 달그락 소리가 나요.
3	어떤 냄새가 나나요?	달콤한 냄새가 나요.
4	손으로 만져 본 느낌은 어떤가요?	딱딱한 느낌이에요.
5	맛은 어떤가요?	달콤하고 맛있어요.

설명하는 것은 [ ] 인가요? 예, 맞아요.

보기: ▲ 바나나 ▲ 꽃 ▲ 우유 ▲ 사탕

(사탕)

창의 다섯 가지 질문과 대답을 읽고 설명하는 것이 무엇인지 찾아봅니다.

정답

2주
무엇을 공부할까? 1
40~41쪽
2주
2주에는 무엇을 공부할까? ❶
짠! 어떤 그림일까?
물고기들이 새우를 먹고 싶어 하는 것 같아요.
뒤에는 어떤 일이 일어날까?
큰 물고기가 작은 물고기를 밀치고 새우를 차지했어요.
그런데 알고 보니 새우는 낚싯대의 미끼였던 거예요.
물고기는 사람에게 잡혀가며 말했을 거예요.
"욕심부리지 말걸."
불쌍해. 반성했으니까 내가 마법으로 물고기를 구해 줄래.
진정해. 진짜 일어난 일이 아니다. 냐옹.
아, 그렇지. 근데 너희 이야기 정말 잘 만든다!
으쓱
그럼 누가 더 이야기를 잘 꾸며 쓰는지 게임으로 가려 볼까?
게임? 재미있겠다. 좋아요!
게임이 아니라 공부 아니야?
그러게.

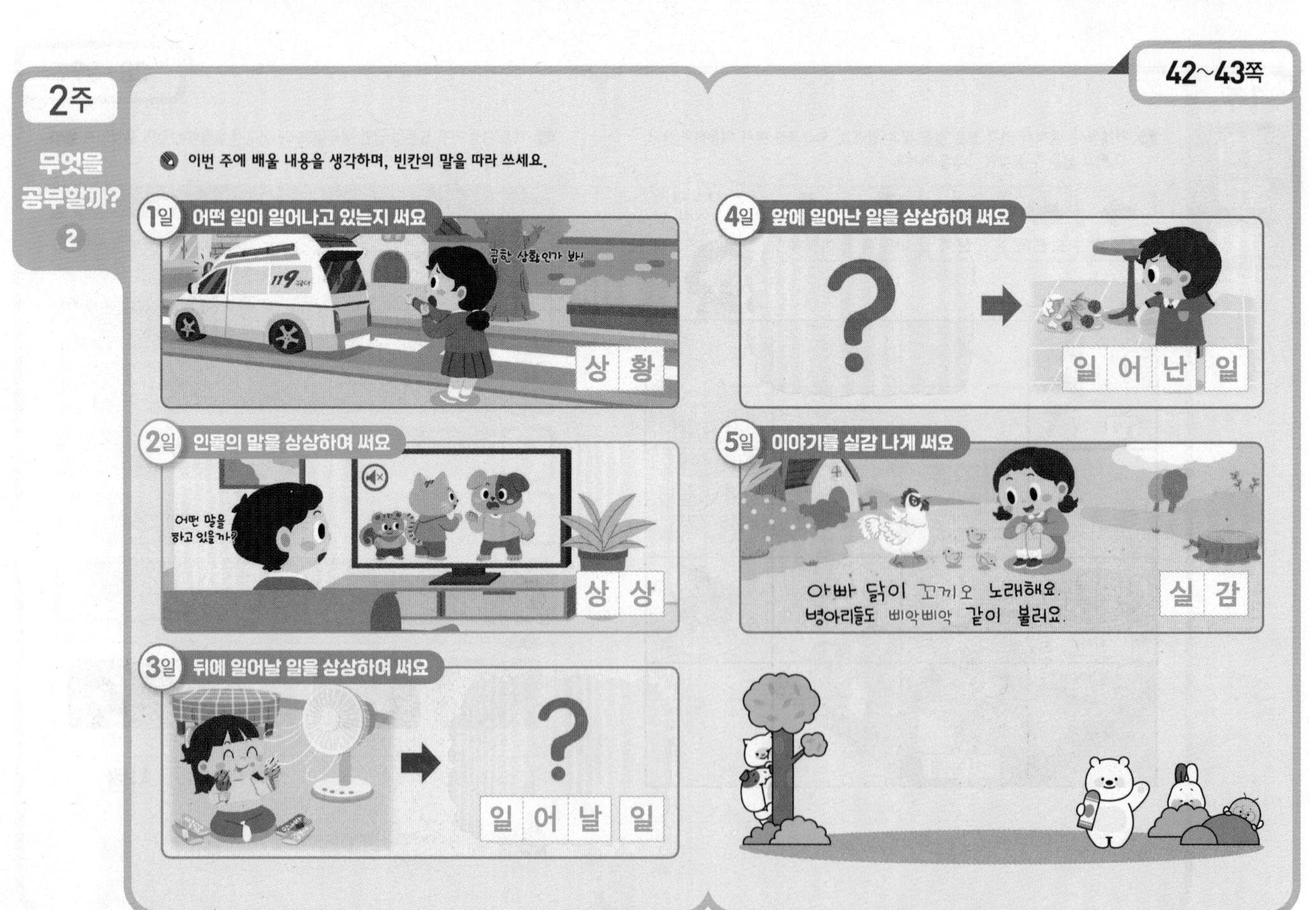
2주
무엇을 공부할까? 2
42~43쪽
이번 주에 배울 내용을 생각하며, 빈칸의 말을 따라 쓰세요.
1일 어떤 일이 일어나고 있는지 써요
급한 상황인가 봐!
상황
2일 인물의 말을 상상하여 써요
어떤 말을 하고 있을까?
상상
3일 뒤에 일어날 일을 상상하여 써요
?
일어날 일
4일 앞에 일어난 일을 상상하여 써요
?
일어난 일
5일 이야기를 실감 나게 써요
아빠 닭이 꼬끼오 노래해요.
병아리들도 삐악삐악 같이 불러요.
실감

2주 1일

44~45쪽

숲속에서 어떤 일이 일어나고 있는지 살펴보고, 동물들을 색칠하여 그림을 완성해 보세요.

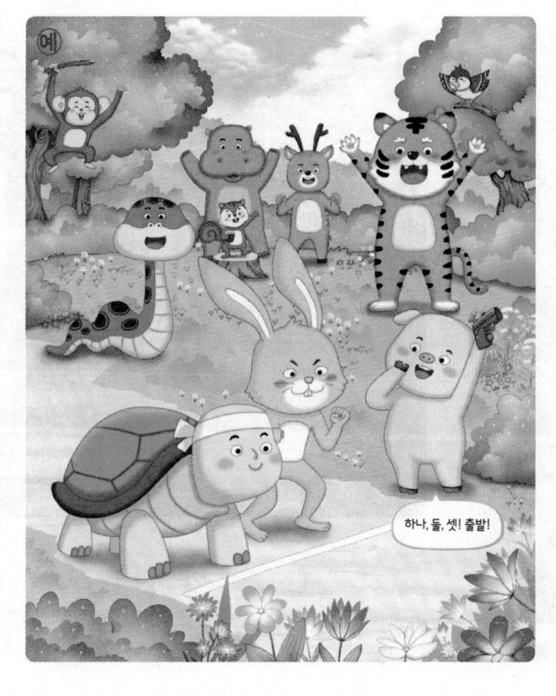

예
하나, 둘, 셋! 출발!

그림에 맞는 퍼즐 모양을 찾아 붙임딱지를 붙여 보세요. 붙임딱지 2

퍼즐에 적힌 낱말을 각각 알맞은 빈칸에 넣어 그림 속 상황을 나타낸 문장을 완성하고 따라 써 보세요.

	거	북	이	가	∨	잠	든	∨	토
끼	∨	앞	을	∨	지	나	갔	어	요

2주 1일

46~47쪽

다음 그림을 보고, 어떤 일이 일어나고 있는지 쓰세요.

어휘 풀이

- **달리기** 두 발을 계속 빠르게 움직여 뛰는 일.
  예 달리기 운동을 꾸준히 하면 몸에 좋다.
- **시합**(시험할 시 試, 합할 합 合) 운동 등의 경기에서 서로 실력을 발휘하여 승부를 겨룸.
  예 축구 시합을 보러 경기장에 갔다.

1단계 다음 그림을 보며 토끼와 거북이에게 일어난 일을 쓰려고 해요. 친구들이 한 말을 읽고, 빈칸에 알맞은 낱말을 각각 쓰세요.

달리기 시합에서 거북이가 토끼를 이겼구나!

거북이가 무척 기뻐하고 있네.

❶ 달리기 시합에서 거북이가 토끼를 이겼어요.

❷ 거북이는 무척 기뻐했어요.

2단계 1의 문장을 넣어 그림에서 어떤 일이 일어나고 있는지 쓴 글을 완성하고 따라 쓰세요.

	❶달	리	기	∨	시	합	에	서	∨
거	북	이	가	∨	토	끼	를	∨	이
겼	어	요	.	❷거	북	이	는	∨	무
척	∨	기	뻐	했	어	요	.		

정답

2주 2일 — 48~49쪽

두 동물의 모습은 무엇일지 생각하며, 그림에 알맞은 붙임딱지를 붙여 보세요. 붙임딱지 ②

크앙!
아이고, 무서워!

생쥐가 사다리 타기를 하여 도착한 곳의 말을 빈칸에 넣어 문장을 완성하고 따라 써 보세요.

웃어 주세요
먹어 보세요
살려 주세요

"한 ∨ 번 만 ∨ 살 려 ∨ 주 세 요."

2주 2일 — 50~51쪽

다음 만화를 읽고, 빈 곳에 들어갈 사자의 말을 상상하여 쓰세요.

흠, 오늘은 배부르니 널 잡아먹지 않겠다.

고마워요. 이 은혜는 꼭 갚을게요.

며칠 후

어휘 풀이

- **은혜**(은혜 은 恩, 은혜 혜 惠) 자연이나 사람이 기꺼이 베풀어 주는 도움.
  예) 부모님의 은혜는 하늘보다도 높고 바다보다도 깊다.
- **갚을게요** 남에게 도움을 받은 만큼 되돌려 줄게요.
  예) 이 은혜는 다시 이곳에 왔을 때 꼭 갚을게요.

1단계 만화의 내용에 맞게 빈칸의 낱말을 각각 따라 쓰세요.

① **사자**가 생쥐를 살려 주었어요.

② 생쥐는 고마워하며 **은혜**를 꼭 갚겠다고 말했어요.

며칠 후

③ 며칠 후, **생쥐**는 위험에 빠진 사자를 도와주었어요.

2단계 1에서 답한 내용을 보고, 마지막 장면에 나올 사자의 말을 상상하여 보기에서 골라 쓰세요.

보기
- 나를 도와주어 고맙구나.
- 이제 너는 절대 잡아먹지 않을 것이다.

힌트
두 가지 모두 답이 될 수 있어요.

예) 이제 너는 절대 잡아먹지 않을 것이다.

며칠 후

다른 답 예) 나를 도와주어 고맙구나.

2주 3일

52~53쪽

다음 장면의 뒤에 일어날 일을 상상하며, 숨은 그림을 모두 찾아 ○표를 해 보세요.

숨은 그림: 빗자루, 양말, 오징어

곰이 집으로 가는 길에 찾은 글자를 차례대로 빈칸에 넣어 문장을 완성하고 따라 써 보세요.

	곰	이	∨	바	나	나	∨	껍	질
을	∨	밟	고	∨	넘	어	졌	어	요.

2주 3일

54~55쪽

다음 이야기를 읽고, 뒤에 일어날 일을 상상하여 쓰세요.

모두 애벌레를 놀렸어요.
애벌레가 징그럽게 생겼다고 말이에요.
애벌레는 너무 슬펐어요.

1단계 아라는 이 이야기의 뒤에 일어날 일을 상상하며 다음 그림을 그렸어요. 그림 속 상황에 맞게 빈칸에 알맞은 낱말을 보기에서 골라 쓰세요.

보기: 개미 / 나비 / 제비 / 박쥐

애벌레가 아름답고 멋진 **나 비** 로 자라났다.

2단계 1의 문장을 이용해 이 이야기의 뒤에 일어날 일을 쓴 글을 완성하고 따라 쓰세요.

하지만 추운 겨울이 지나고 따스한 봄이 되자 모두들 놀랐어요.

징	그	럽	다	고	만	∨	생	각	했
던	∨	애	벌	레	가	∨	아	름	답
고	∨	멋	진	∨	나	비	로	∨	자
라	나	∨	있	었	거	든	요.		

정답

2주 4일

56~57쪽

다음 장면의 앞에 일어난 일을 상상하며, ◆이 있는 치아를 검은색으로 칠하여 그림을 완성해 보세요.

으앙, 너무 아파!

아라가 설명하는 낱말을 찾아 빈칸에 넣어 문장을 완성하고 따라 써 보세요.

이를 닦고 물로 입 안을 씻어 내는 일.

	현	서	는	V	밥	을	V	먹	고	V
양	치	질	을	V	안	V	했	어	요	.

2주 4일

58~59쪽

다음을 보고, 가장 앞에 일어난 일을 상상하여 쓰세요.

?
착한 아이로구나.
할머니께서는 준이를 칭찬하셨어요.
그리고 사탕까지 한 주먹 주셨지요.
준이는 정말 기분이 좋았어요.

어휘 풀이

- **칭찬**(일컬을 칭 稱, 기릴 찬 讚) 좋은 점이나 잘한 일 등을 매우 훌륭하게 여기는 마음을 말로 나타냄. 또는 그런 말. 예 선생님께 인사를 잘했다고 칭찬을 받았다.
- **주먹** 한 손에 쥘 만한 분량을 세는 단위.
  예 엄마께서는 찌개에 새우 한 주먹을 넣으셨다.

1단계 다음 그림을 보고, 준이가 한 일에 맞게 빈칸의 낱말을 각각 따라 쓰세요.

❶ 준이는 길거리에 있는 쓰레기를 주웠어요.

❷ 준이는 할머니께 은행으로 가는 길을 친절하게 알려 드렸어요.

다른 답

	준	이	는		길	거	리	에	
있	는		쓰	레	기	를		주	웠
어	요	.							

2단계 1에서 답한 내용을 보고, 마음에 드는 문장 한 가지를 골라 이 이야기의 가장 앞에 일어난 일을 쓰세요.

	준	이	는		할	머	니	께	
은	행	으	로		가	는		길	을
친	절	하	게		알	려		드	렸
어	요	.							

2주 5일

60~61쪽

다음 모습을 생생하게 나타낼 수 있는 표현을 떠올려 보고, 그림에 알맞은 낱말을 찾아 붙임딱지를 붙여 보세요. 붙임딱지 ②

다음 그림에 이어진 선을 따라가 어울리는 낱말을 알아보세요. 또 제시된 문장을 실감 나게 쓰기 위해 넣어야 할 낱말을 골라 문장을 완성하고 따라 써 보세요.

아이는 손을 호호 불어 녹였어요.

2주 5일

62~63쪽

다음 글을 읽고, ___ 부분을 실감 나게 바꾸어 쓰세요.

숲속 결혼식
오늘은 코끼리 아가씨와 기린 총각이
결혼하는 날!
악어 누나가 피아노를 쳐요.
여우 아저씨가 사진을 찍어요.
모두가 즐겁고 행복해요.

1단계 다음 그림을 보고, 빈칸에 알맞은 낱말을 보기에서 각각 골라 쓰세요.

보기: 딩동댕 쨍그랑 찰칵 철렁

① 악어 누나가 딩동댕 피아노를 쳐요.

② 여우 아저씨가 찰칵 사진을 찍어요.

2단계 1의 문장을 넣어 ___ 부분을 실감 나게 바꾸어 쓴 글을 완성하고 따라 쓰세요.

① 악어 누나가 딩동댕 피아노를 쳐요.

② 여우 아저씨가 찰칵 사진을 찍어요.

정답

2주 누구나 100점 테스트

64~65쪽

1 다음 그림을 보고, 빈칸에 들어갈 알맞은 말을 골라 따라 쓰세요.

달리기 시합에서 거북이가 토끼를 이겼어요. 거북이는 무척 [ ].

기 뻐 했 어 요

슬 퍼 했 어 요

2 다음 그림을 보고, 사자의 말을 알맞게 상상하여 쓴 것에 ○표를 하세요.

(1) 나를 도와주어 고맙구나. (○)

(2) 너를 꼭 잡아먹을 것이다. ( )

3 다음 장면의 뒤에 일어날 일을 알맞게 쓴 친구에 ○표를 하세요.

곰이 참외를 주워 먹었다는 내용으로 썼어.

곰이 바나나 껍질을 밟고 넘어졌다는 내용으로 썼어.

4 글쓰기 다음 장면의 앞에 어떤 일이 일어났을지 보기의 말을 모두 이용하여 문장을 완성하고 따라 쓰세요.

착한 아이로구나.

할머니께서는 준이를 칭찬하셨어요.

보기: 들어 / 짐을 / 할머니의 / 드렸어요

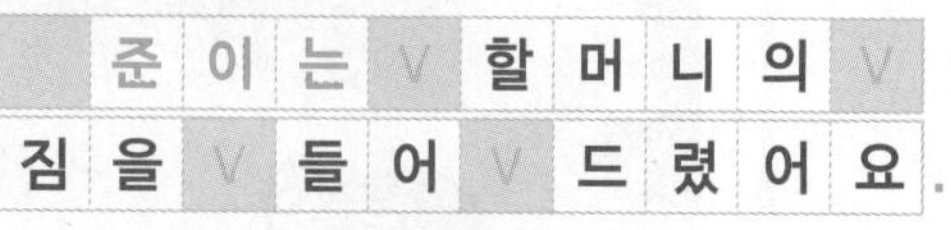

준이는 할머니의 짐을 들어 드렸어요.

5 다음 문장을 더 실감 나게 표현하려고 해요. 빈칸에 들어갈 알맞은 낱말을 골라 색칠하세요.

호수가 [ ] 얼었어요.

꽁꽁 / 펄펄 / 찰칵 / 씽씽

2주 창의·융합·코딩

66~67쪽

캠핑을 하며 만날 수 있는 흉내 내는 말을 살펴보고, 따라 써 봐요. 흉내 내는 말에 알맞은 붙임딱지도 함께 붙여 보세요. 붙임딱지 3

반짝반짝
두둥실
별이 빛나는 것 좀 봐.
오늘따라 달도 밝네.

불이 꺼져 간다, 나옹.

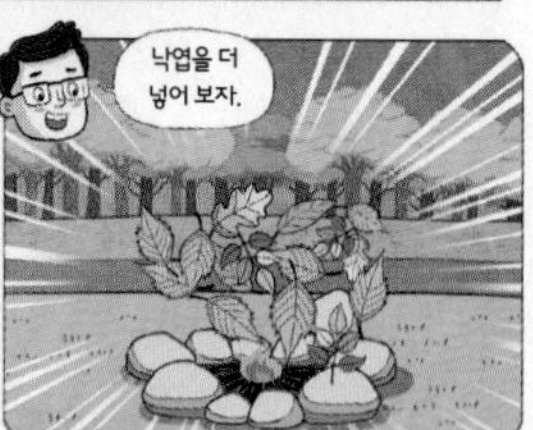

낙엽을 더 넣어 보자.

불이 다시 타오르고 있어.
활활

추우니까 모두 여기에 모여 앉자꾸나.

아름다운 밤이야.
행복해!
옹기종기

캠핑을 하며 만날 수 있는 흉내 내는 말의 뜻을 알아봐요!

반짝반짝: 작은 빛이 잠깐 잇따라 나타났다가 사라지는 모양.

두둥실: 물 위나 공중으로 가볍게 떠오르거나 떠 있는 모양.

활활: 불길이 세고 시원스럽게 타오르는 모양.

옹기종기: 크기가 다른 작은 것들이 고르지 않게 많이 모여 있는 모양.

2주 창의·융합·코딩

68~69쪽

다음 그림에서 숨은 자음자와 모음자를 모두 찾아 ○표를 하세요. 또 숨은 자음자와 모음자를 한데 모아 만든 낱말을 빈칸에 써서 생쥐의 말을 완성하세요.

네 덕분에 살았구나.
우리는 좋은 친 구 가 될 수 있어요.
ㄴ
ㅊ
ㄱ
ㅜ
ㅣ

숨은 자음자와 모음자: ㄱ, ㄴ, ㅊ, ㅜ, ㅣ

창의 숨은 자음자와 모음자를 모두 찾아보고, **자음자와 모음자를 한데 모아 낱말**을 만들어 봅니다.

애벌레의 이야기를 떠올려 보며 빈칸에 알맞은 낱말을 쓰고, 다음 그림의 반쪽을 그려 색칠하세요.

하지만 추운 겨울이 지나고 따스한 봄이 되자 모두들 놀랐어요.
징그럽다고만 생각했던 애벌레가 아름답고 멋진 나 비 로 자라나 있었거든요.

예

융합 국어+미술 애벌레가 봄이 되어 어떻게 자라나 있었는지 떠올려 써 보고, **그림의 반쪽**을 완성해 봅니다.

2주 창의·융합·코딩

70~71쪽

다음 상황 앞에 일어난 일을 상상하며 일이 일어난 차례대로 빈칸에 알맞은 숫자를 각각 써 보세요.

현서는 이가 너무 아파서 엉엉 울었어요.

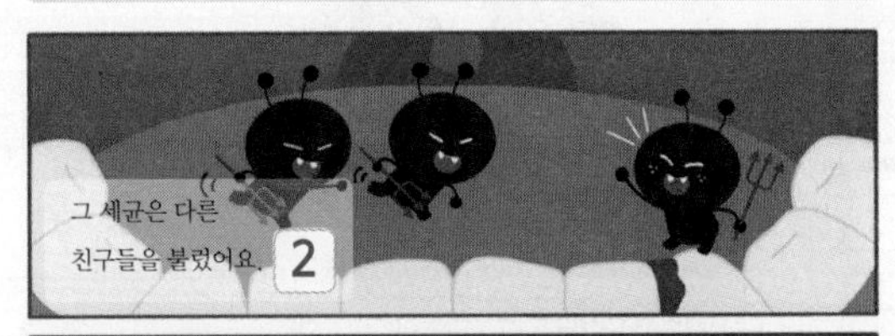

창의 **이가 아프기 전에 일어난 일**은 무엇일지 상상하며 이야기의 차례를 생각해 봅니다.

신랑과 신부가 실감 나는 표현을 바르게 쓴 문장을 모두 지나 식장에 도착할 수 있도록 코딩 카드의 빈칸에 알맞은 방향의 화살표를 각각 쓰세요.

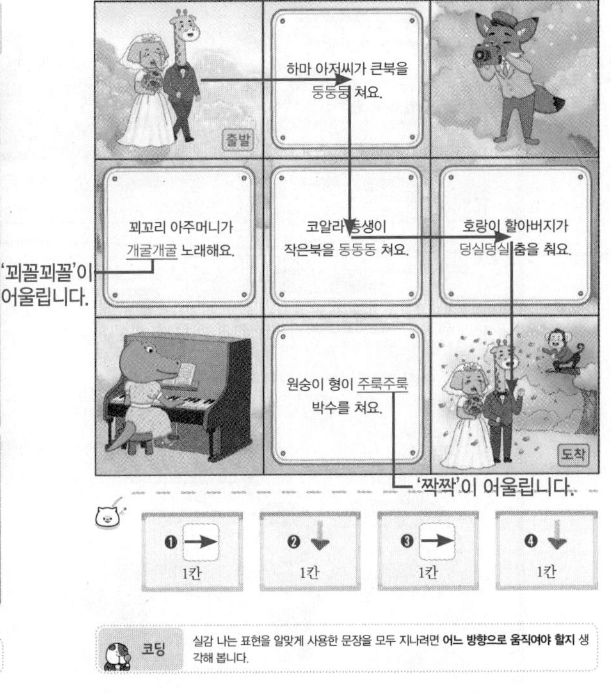

출발
하마 아저씨가 큰북을 둥둥둥 쳐요.
꾀꼬리 아주머니가 개굴개굴 노래해요.
코알라 동생이 작은북을 동동동 쳐요.
호랑이 할아버지가 덩실덩실 춤을 춰요.
원숭이 형이 주룩주룩 박수를 쳐요.
도착
'꾀꼴꾀꼴'이 어울립니다.
'짝짝'이 어울립니다.
❶ → 1칸
❷ ↓ 1칸
❸ → 1칸
❹ ↓ 1칸

코딩 실감 나는 표현을 알맞게 사용한 문장을 모두 지나려면 **어느 방향으로 움직여야 할지** 생각해 봅니다.

정답

72~73쪽
3주
무엇을 공부할까? 1
3주
3주에는 무엇을 공부할까? 1
자전거를 갖고 싶어.
나는 경주에 가 보고 싶어.
사고 싶은 것과 가고 싶은 곳을 글로 잘 쓰면 아빠가 자전거도 사 주고 경주도 데려가 주마.
뭐라고 써야 하지? 못 쓰겠어.
걱정 마! 내가 마법으로 너희가 원하는 걸 이루어 줄게!
얍! 자전거 나와라!
그냥 글 쓸게.
글을 정말 잘 썼구나!
그럼 이제 자전…….
앞으로의 계획에 대해 글을 더 써 보는 건 어떠니?
주말에 하고 싶은 일, 초등학생이 되면 하고 싶은 일, 너희의 꿈…….
아~빠! 약속부터 지키셔야죠!
흠, 흠, 그래. 하지만 앞으로도 글쓰기 공부 열심히 해야 한다.
네!
너도 훈민, 정음이와 함께 더 열심히 공부하라옹.
나도?

74~75쪽
3주
무엇을 공부할까? 2
이번 주에 배울 내용을 생각하며, 빈칸의 말을 따라 쓰세요.
1일 사고 싶은 것을 써요
사 다
2일 가고 싶은 곳을 써요
가 다
3일 주말에 하고 싶은 일을 써요
주 말
4일 초등학생이 되면 하고 싶은 일을 써요
초 등 학 생
5일 자신의 꿈을 써요
장 래 희 망

3주 1일

76~77쪽

시호가 사고 싶어 하는 것들을 떠올리며, 그림에 알맞은 붙임딱지를 붙여 보세요. 붙임딱지 3

그림에 맞는 퍼즐 모양을 찾아 붙임딱지를 붙여 보세요. 붙임딱지 3

퍼즐에 적힌 낱말을 각각 알맞은 빈칸에 넣어 문장을 완성하고 따라 써 보세요.

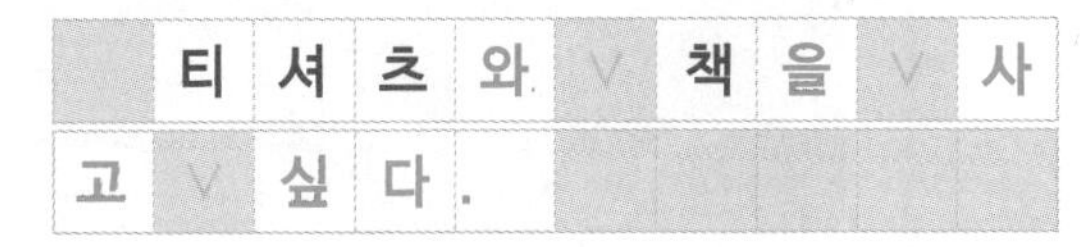

	티	셔	츠	와	∨	책	을	∨	사
고	∨	싶	다	.					

3주 1일

78~79쪽

다음 그림을 보고, 민희가 사고 싶은 것을 쓰세요.

어휘 풀이

▾ 작아 정하여진 크기에 모자라서 맞지 않아. 예 살이 쪄서 바지가 작아.

1단계 민희가 사고 싶은 것에 대해 글을 쓰려고 해요. 빈칸에 알맞은 낱말을 보기에서 각각 골라 쓰세요.

보기: 작아졌기 / 적어졌기 / 싶다 / 쉽다

❶ 새 신발을 사고 싶 다.

❷ 신던 신발이 작 아 졌 기 때문이다.

2단계 1의 문장을 넣어 민희가 사고 싶은 것에 대해 쓴 글을 완성하고 따라 쓰세요.

	❶새	∨	신	발	을	∨	사	고	∨
싶	다	.	❷신	던	∨	신	발	이	∨
작	아	졌	기	∨	때	문	이	다	.

정답

3주 2일

80~81쪽

수호가 여름 방학 때 가고 싶은 곳을 찾아보고 있어요. 컴퓨터 화면 속 풍경을 색칠하여 그림을 완성해 보세요.

예

우아~! 나도
바다에 가고 싶어.
수호

인물들이 들고 있는 글자를 사다리 타기를 하여 도착한 곳에 쓰세요.

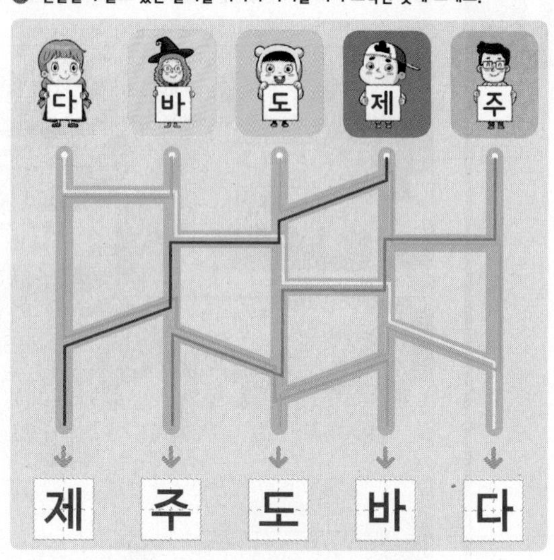

다
바
도
제
주
제
주
도
바
다

위에서 쓴 글자를 차례대로 빈칸에 넣어 문장을 완성하고 따라 써 보세요.

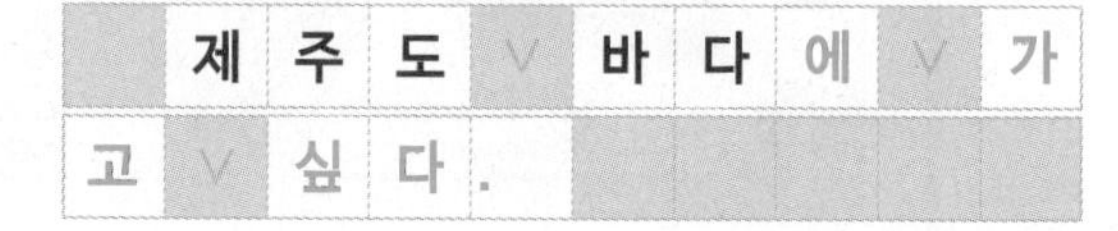

	제	주	도	∨	바	다	에	∨	가
고	∨	싶	다	.					

3주 2일

82~83쪽

다음 그림을 보고, 준우가 가고 싶은 곳을 쓰세요.

우아, 여기가 프랑스의
파리라는 도시구나.
준우

어휘 풀이

* **도시**(도읍 도 都, 시장 시 市) 정치, 경제, 문화의 중심이 되고 사람이 많이 사는 지역.
예 우리나라에서 가장 큰 도시는 서울이다.

1단계 준우가 가고 싶은 곳에 대해 글을 쓰려고 해요. 빈칸의 말을 각각 따라 쓰세요.

❶ 책에서 에 펠 탑 을 보았다.

❷ 에펠 탑이 있는 프랑스 파 리 에 가 보고 싶다.

2단계 1의 문장을 넣어 준우가 가고 싶은 곳에 대해 쓴 글을 완성하고 따라 쓰세요.

❶책	에	서	∨	에	펠	∨	탑	을	∨
보	았	다	.	❷에	펠	∨	탑	이	∨
있	는	∨	프	랑	스	∨	파	리	에 ∨
가	∨	보	고	∨	싶	다	.		

3주 3일

84~85쪽

◎ 다음 네 가지 그림 중, 자신이 주말에 하고 싶은 일을 한 가지 이상 골라 색칠하여 그림을 완성해 보세요.

◎ 도착까지 가는 길에 찾은 글자를 차례대로 빈칸에 넣어 주말에 하고 싶은 일을 쓴 문장을 완성하고 따라 써 보세요.

	아	빠	와	∨	함	께	∨	축	구
를	∨	하	고	∨	싶	다	.		

3주 3일

86~87쪽

◎ 다음 만화를 읽고, 세호가 주말에 하고 싶은 일을 쓰세요.

어휘 풀이

- **쭉쭉** 여럿이 한 줄로 끊어지지 않고 이어지는 모양. 예 고무줄을 쭉쭉 늘였다.
- **체험**(몸 체 體, 시험 험 驗) 자기가 몸소 겪음. 또는 그런 경험. 예 귤 따기 체험을 했다.

1단계 세호가 주말에 하고 싶은 일에 대해 글을 쓰려고 해요. 빈칸의 낱말을 각각 따라 쓰세요.

❶ 피자의 치 즈 가 늘어나는 것이 신기했다.

❷ 치즈 만들기 체 험 을 하고 싶다.

2단계 1의 문장을 넣어 세호가 주말에 하고 싶은 일에 대해 쓴 글을 완성하고 따라 쓰세요.

	❶피	자	의	∨	치	즈	가	∨	늘
어	나	는	∨	것	이	∨	신	기	했
다	.	❷치	즈	∨	만	들	기	∨	체
험	을	∨	하	고	∨	싶	다	.	

정답

3주 4일

88~89쪽

● 초등학생이 된 솔아와 민하의 모습을 살펴보며, 숨은 그림을 모두 찾아 ○표를 해 보세요.

● 그림에 맞는 퍼즐 모양을 찾아 붙임딱지를 붙여 보세요. 붙임딱지 4

● 퍼즐에 적힌 낱말을 각각 알맞은 빈칸에 넣어 문장을 완성하고 따라 써 보세요.

	키	가	∨	작	아	서	∨	못	∨
탔	던	∨	놀	이	∨	기	구	를	∨
타	고	∨	싶	다	.				

3주 4일

90~91쪽

● 다음 그림을 보고, 준하가 초등학생이 되면 하고 싶은 일을 쓰세요.

나는 얼마 전에 우리 학교 수영 대회에서 상을 탔어!
나는 지난 학기에 우리 반 반장을 했어.
준하
나도 초등학교에 가면 형, 누나들처럼…….

어휘 풀이

- **대회**(큰 대 大, 모일 회 會) 기술이나 재주를 겨루는 큰 모임. 예 피아노 대회에서 1등을 했다.
- **상**(상줄 상 賞) 잘한 일이나 우수한 성적을 칭찬하여 주는 문서나 물건.
  예 진서는 모든 육상 대회의 상을 휩쓸었다.
- **반장**(나눌 반 班, 길 장 長) 교실을 한 단위로 하는 반을 대표하여 일을 맡아보는 학생.
  예 현준이가 반장으로 뽑혔다.

1단계 준하가 초등학생이 되면 하고 싶은 일에 대해 글을 쓰려고 해요. 그림을 보고, 빈칸에 알맞은 낱말을 보기에서 각각 골라 쓰세요.

보기: 젓가락질 / 숟가락질 / 수영 / 미술

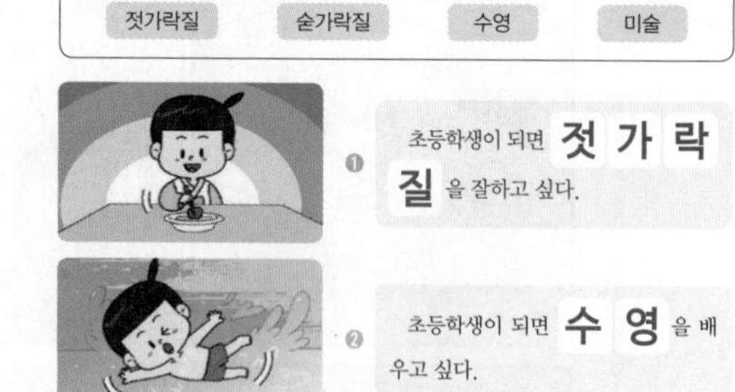

❶ 초등학생이 되면 젓가락질을 잘하고 싶다.

❷ 초등학생이 되면 수영을 배우고 싶다.

2단계 다음 그림을 보고, 빈칸에 알맞은 낱말을 넣어 준하가 초등학생이 되면 하고 싶은 일에 대해 쓴 글을 완성하고 따라 쓰세요.

	초	등	학	생	이	∨	되	면	∨
나	도	∨	사	촌	∨	형	처	럼	∨
반	장	을	∨	하	고	∨	싶	다	.

3주 5일

92~93쪽

친구들의 꿈을 살펴보고, 알맞은 붙임딱지를 붙여 보세요.

정음이가 사다리 타기를 하여 도착한 곳의 낱말을 빈칸에 넣어 문장을 완성하고 따라 써 보세요.

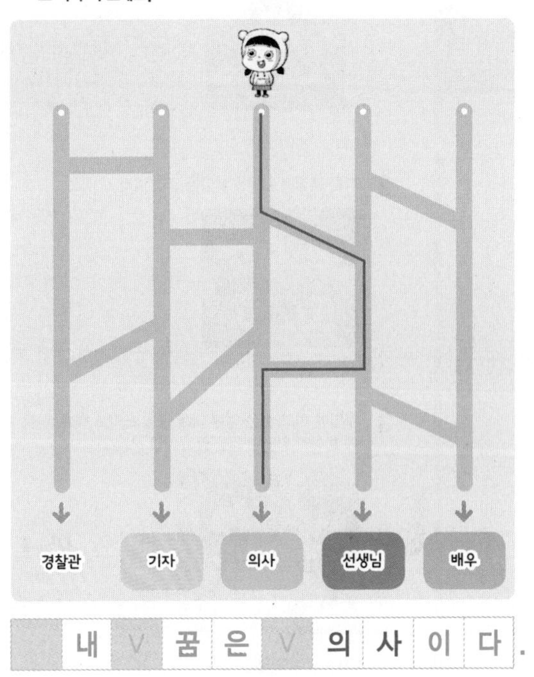

내 ∨ 꿈은 ∨ 의사이다.

3주 5일

94~95쪽

직업 체험관에 간 친구들의 모습을 보고, 자신의 꿈을 쓰세요.

소방서
내 장래 희망은 소방관이야.
미용실
119
나는 미용사가 되고 싶어.
빵집
나는 제빵사가 될 거야!

어휘 풀이

- **장래 희망**(장차 장 將, 올 래 來, 바랄 희 希, 바랄 망 望) 장차 하고자 하는 일이나 직업에 대한 희망. ㉩ 오빠의 장래 희망은 작가이다.
- **제빵사**(지을 제 製, 빵, 스승 사 師) 빵을 만드는 일을 전문으로 하는 사람.

▲ 제빵사

1단계 다음 친구들의 말을 읽고, 빈칸에 알맞은 낱말을 보기에서 각각 골라 쓰세요.

보기: 소방관 / 승무원 / 미용사 / 수의사

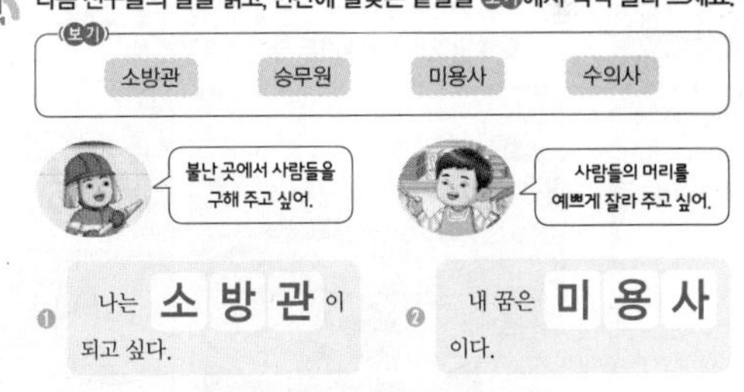

불난 곳에서 사람들을 구해 주고 싶어.
사람들의 머리를 예쁘게 잘라 주고 싶어.

❶ 나는 소방관이 되고 싶다.

❷ 내 꿈은 미용사이다.

2단계 다음 그림을 보고, 빈칸에 알맞은 말을 넣어 여자아이가 자신의 꿈에 대해 쓴 글을 완성하고 따라 쓰세요.

내 ∨ 장래 ∨ 희망은 ∨ 제빵사이다. 맛있는 ∨ 빵을 ∨ 실컷 ∨ 먹고 ∨ 싶기 ∨ 때문이다.

정답

3주 누구나 100점 테스트

96~97쪽

1 다음 그림 속 친구가 사고 싶은 것으로 알맞은 낱말에 ○표를 하세요.

(신발, 안경)이 사고 싶어.

2 다음 문장에 알맞은 낱말을 골라 따라 쓰세요.

에펠 탑이 있는 프랑스 파리에 사고 / 가고 싶다.

3 주말에 하고 싶은 일에 대해 글을 쓰려고 해요. 다음 그림을 보고, 빈칸에 들어갈 알맞은 일을 골라 따라 쓰세요.

주말에 ☐ 체험을 하고 싶다.

치즈 만들기 / 김치 만들기

4 다음 글을 읽고, 잘못 쓴 낱말을 찾아 바르게 고쳐 쓰세요.

초등학생이 되면 젓가락질을 잘하고 싶다.

(젖가락질) → (젓가락질)

5 다음 그림을 보고, 나무에 걸린 낱말 중 알맞은 것을 골라 ㉠ 안에 들어갈 문장을 완성하고 따라 쓰세요.

㉠
빵을 실컷 먹고 싶기 때문이다.

내 ∨ 장래 ∨ 희망은 ∨ 제빵사이다.

3주 창의 융합 코딩

98~99쪽

미술 시간에 만날 수 있는 흉내 내는 말을 살펴보고, 따라 써 봐요. 흉내 내는 말에 알맞은 붙임딱지도 함께 붙여 보세요. 붙임딱지 ④

미술 시간에 만날 수 있는 흉내 내는 말의 뜻을 알아봐요!

싹둑싹둑: 어떤 물건을 자꾸 자르거나 베는 소리. 또는 그 모양.

끈적끈적: 자꾸 척척 들러붙을 만큼 끈끈한 모양.

덕지덕지: 어지럽게 덧붙거나 겹쳐 있는 모양.

알록달록: 여러 가지 빛깔의 무늬나 얼룩 등이 고르지 않게 있는 모양.

3주 창의·융합·코딩

100~101쪽

다음은 시호가 사고 싶은 것들을 그림으로 나타낸 것입니다. 다음 차례대로 물건들을 모두 지나갈 수 있도록 코딩 카드에 알맞은 숫자를 각각 쓰세요.

오른쪽으로 **1** 칸 간다. → 아래쪽으로 **2** 칸 간다. → 오른쪽으로 **2** 칸 간다.

코딩 사고 싶은 것들을 떠올리며, **코딩 카드를 완성**해 봅니다.

아라와 훈민이의 말을 읽고, 지도에서 아라가 가고 싶은 도시가 있는 곳은 파란색, 훈민이가 가고 싶은 도시가 있는 곳에는 노란색을 색칠하세요.

나는 강원도의 평창에 가 보고 싶어! 2018년에 평창 올림픽이 열렸던 곳이래.

나는 전라남도의 여수에 가 보고 싶어. 바다 위를 가로지르는 케이블카가 있대.

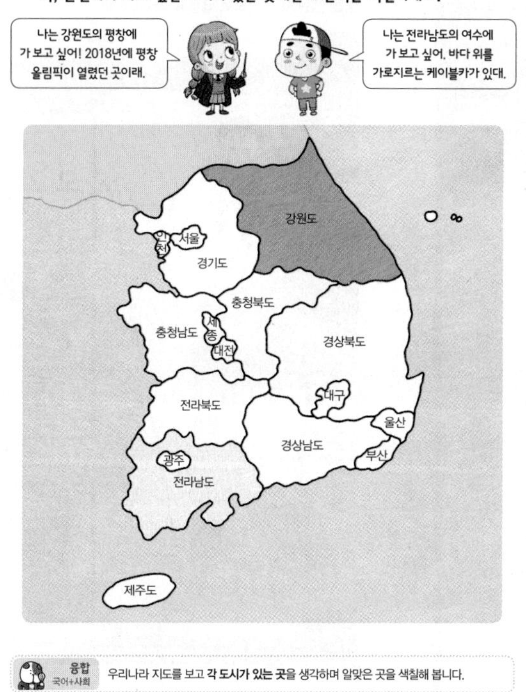

융합 국어+사회 우리나라 지도를 보고 **각 도시가 있는 곳**을 생각하며 알맞은 곳을 색칠해 봅니다.

3주 창의·융합·코딩

102~103쪽

지호가 주말에 하고 싶은 일에 대해 말하고 있어요. 다음 지호의 말을 읽고, 지호가 딸기 따기 체험을 하고 싶은 날짜를 쓰세요.

지호가 딸기 따기 체험을 하고 싶은 날짜는 **6** 월 **16** 일이에요.

융합 국어+수학 지호의 말과 달력을 함께 살펴보며 **달력 보는 방법**을 익혀 봅니다.

다음은 친구들이 자신의 꿈을 그림으로 그린 것이에요. 친구들의 그림을 보고, 그림이 나타내는 알맞은 직업을 보기에서 각각 골라 빈칸에 쓰세요.

보기: 가수 화가 조종사 축구 선수

창의 친구들의 그림을 보고, **다양한 직업**에 대해 알아봅니다.

정답

마무리 학습

신경향 신유형 서술형 1

106~107쪽

1 다음 그림에 어울리는 문장을 찾아 각각 선으로 잇고, 친구들이 어떤 경험을 했는지 생각하며 낱말을 따라 쓰세요.

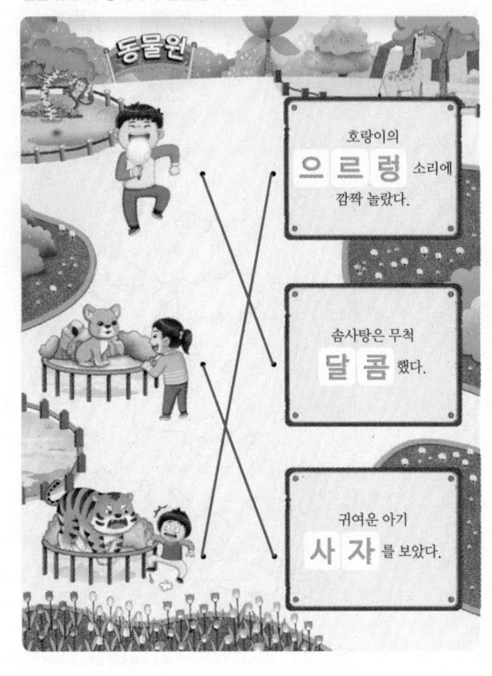

동물원
호랑이의 으르렁 소리에 깜짝 놀랐다.
솜사탕은 무척 달콤했다.
귀여운 아기 사자를 보았다.

2 다음 여자아이가 경험한 일을 쓴 글을 보고, 그때 찍은 사진을 찾아 ○표를 하세요.

20○○년 5월 10일

유치원에서 딸기 농장에 갔다. 빨갛게 잘 익은 딸기를 잔뜩 땄다. 내가 딴 딸기로 만든 잼은 향기도 맛도 달콤했다.

마무리 학습

신경향 신유형 서술형 2

108~109쪽

3 다음 만화에 나오는 늑대와 아기 양의 말을 상상해 보고, 빈칸에 알맞은 말을 아래 문장에서 각각 골라 쓰세요.

내가 속았구나! | 내 밥이로구나! | 피리를 좀 불어 주세요.

4 다음 선을 따라가 문장을 완성하고, 문장에 어울리는 그림을 찾아 각각 선으로 이으세요.

110~111쪽

마무리 학습

기초 종합 정리 문제 1

1 다음 그림을 보고, 남자아이가 본 것으로 빈칸에 알맞은 낱말을 보기에서 각각 골라 쓰세요.

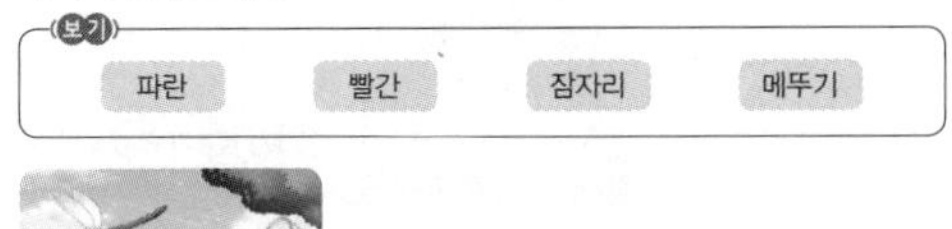

빨간 고추 같은 잠자리를 보았다.

2 다음 그림을 보고, 빈칸에 알맞은 낱말을 보기에서 각각 골라 비가 온 날에 대한 경험을 쓴 글을 완성하고 따라 쓰세요.

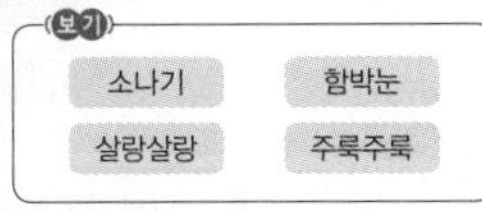

	창	밖	에	서	V	소	나	기	가	V
내	린	다	.		주	룩	주	룩	V	빗
소	리	가	V	들	린	다	.			

3 혀로 맛본 것을 알맞게 쓴 문장이 되도록 어울리는 말끼리 각각 선으로 이으세요.

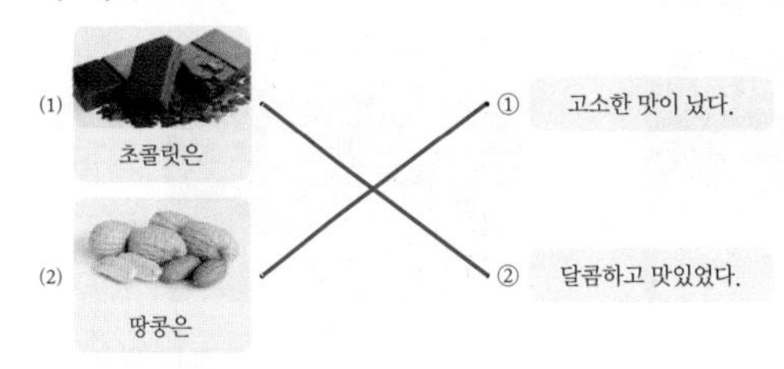

4 다음 그림 속 상황에 맞게 빈칸에 알맞은 낱말을 보기에서 골라 쓰세요.

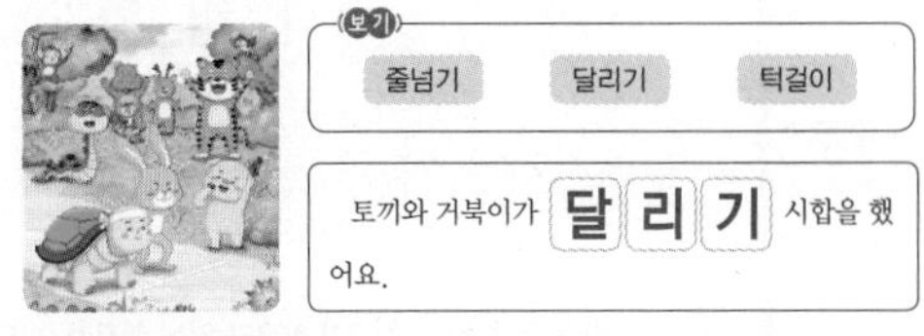

5 다음 그림을 보고, 생쥐의 말을 알맞게 상상하여 쓴 것에 ○표를 하세요.

(1) 너를 잡아먹겠다. ( )
(2) 오늘 정말 심심하네. ( )
(3) 한 번만 살려 주세요. (○)

112~113쪽

마무리 학습

기초 종합 정리 문제 1

6 다음 이야기를 읽고, 뒤에 일어날 일을 알맞게 쓴 친구에 ○표를 하세요.

모두 애벌레를 놀렸어요.
애벌레가 징그럽게 생겼다고 말이에요.
애벌레는 너무 슬펐어요.

애벌레가 태어나는 모습이 잘 나타나게 썼어.

애벌레가 아름다운 나비가 되어 모두 놀라게 된다는 내용을 썼어.

7 다음 중 그림에 알맞은 낱말을 골라 각각 따라 쓰세요.

(1) 여우 아저씨가 (펄펄, 찰칵) 사진을 찍어요.

(2) 악어 누나가 (딩동댕, 꽁꽁) 피아노를 쳐요.

8 다음 그림을 보고, 빈칸에 알맞은 낱말을 쓰세요.

새 신발을 사고 싶다. 신던 신발이 작아졌기 때문이다.

9 주말에 하고 싶은 일을 그림으로 그리고 글로 썼어요. 알맞은 낱말을 골라 따라 쓰세요.

(놀이공원, 해수욕장)에서 놀이 기구를 타고 싶다.

10 다음 그림을 보고, 빈칸에 알맞은 낱말을 보기에서 골라 자신의 꿈에 대해 쓴 글을 완성하고 따라 쓰세요.

보기: 미용사, 제빵사

	나	는	V	미	용	사	가	V	되	
고	V	싶	다	.	사	람	들	의	V	
머	리	를	V	예	쁘	게	V	잘	라	V
주	고	V	싶	기	V	때	문	이	다	.

정답

114~115쪽

마무리 학습
기초 종합 정리 문제 2

1 다음 그림을 보고, 빈칸에 알맞은 낱말을 보기에서 각각 골라 본 것을 설명하는 문장을 완성하고 따라 쓰세요.

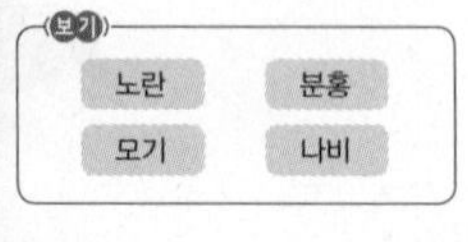

보기
노란
분홍
모기
나비

노란 민들레 위에
파란 나비가 앉았다.

2 다음 글을 읽고, 친구가 키우고 있는 햄지가 어떤 동물인지 알맞은 동물의 사진에 ○표를 하세요.

내가 키우는 햄지는 털이 곱고 부드럽다. 쓰다듬으면 따뜻하고 폭신폭신해서 기분이 좋다.

개구리
햄스터

3 다음 중 그림에 알맞은 낱말을 골라 ○표를 하세요.

꽃에서 (향기로운, 비린) 냄새가 났다.

4 다음 중 과일의 맛을 알맞게 표현한 낱말을 골라 따라 쓰세요.

(1) 
레몬은 (매콤, 새콤)한 맛이 난다.

(2) 
잘 익은 수박은 (달고, 쓰고) 시원하다.

5 다음 그림을 보고, 어떤 일이 일어나고 있는지 알맞게 쓴 것에 ○표를 하세요.

(1) 거북이가 낮잠을 자고 있어요. ( )
(2) 거북이가 잠든 토끼 앞을 지나갔어요. (○)
(3) 달리기 시합에서 토끼가 거북이를 이겼어요. ( )

116~117쪽

마무리 학습
기초 종합 정리 문제 2

6 다음 빈칸에 들어갈 말로 알맞은 것을 골라 따라 쓰세요.

현서는 밥을 먹고 양치질을 [ ].
현서는 이가 너무 아파 엉엉 울었어요.

잘했어요
안했어요

7 다음 문장에 흉내 내는 말을 넣어 실감 나게 표현하려고 해요. 빈칸에 알맞은 낱말을 보기에서 골라 문장을 완성하고 따라 쓰세요.

아이가 쌓인 눈을 밟아요.

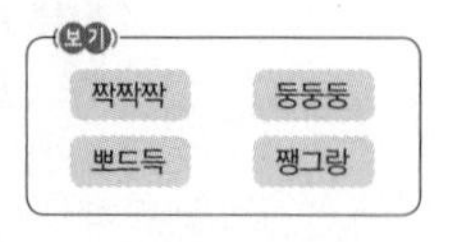

보기
짝짝짝
둥둥둥
뽀드득
펑그랑

아이가 쌓인 눈을
뽀드득 밟아요.

8 다음 중 알맞은 낱말을 골라 ○표를 하세요.

별 모양의 쿠키가 (사고, 되고) 싶다.

9 다음 그림 속 상황에 맞게 빈칸에 알맞은 낱말을 보기에서 골라 쓰세요.

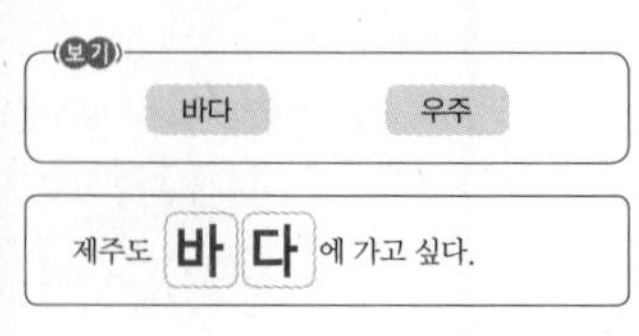

보기
바다
우주
제주도 바다에 가고 싶다.

10 그림과 어울리는 자신의 꿈에 대한 문장을 각각 선으로 잇고, 낱말을 따라 쓰세요.

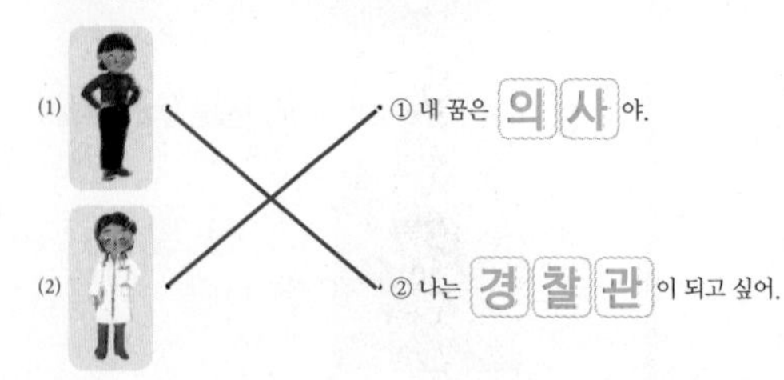

(1)
(2)
① 내 꿈은 의사야.
② 나는 경찰관이 되고 싶어.

정답은
이안에
있어!

배움으로 행복한 내일을 꿈꾸는
천재교육 커뮤니티 안내

교재 안내부터 구매까지 한 번에!

천재교육 홈페이지

자사가 발행하는 참고서, 교과서에 대한 소개는 물론
도서 구매도 할 수 있습니다. 회원에게 지급되는 별을 모아
다양한 상품 응모에도 도전해 보세요!

다양한 교육 꿀팁에 깜짝 이벤트는 덤!

천재교육 인스타그램

천재교육의 새롭고 중요한 소식을 가장 먼저 접하고 싶다면?
천재교육 인스타그램 팔로우가 필수!
깜짝 이벤트도 수시로 진행되니 놓치지 마세요!

수업이 편리해지는

천재교육 ACA 사이트

오직 선생님만을 위한, 천재교육 모든 교재에 대한 정보가 담긴
아카 사이트에서는 다양한 수업자료 및 부가 자료는 물론
시험 출제에 필요한 문제도 다운로드하실 수 있습니다.

https://aca.chunjae.co.kr

천재교육을 사랑하는 샘들의 모임

천사샘

학원 강사, 공부방 선생님이시라면 누구나 가입할 수 있는 천사샘!
교재 개발 및 평가를 통해 교재 검토진으로 참여할 수 있는 기회는 물론
다양한 교사용 교재 증정 이벤트가 선생님을 기다립니다.

아이와 함께 성장하는 학부모들의 모임공간

튠맘 학습연구소

튠맘 학습연구소는 초·중등 학부모를 대상으로 다양한 이벤트와 함께
교재 리뷰 및 학습 정보를 제공하는 네이버 카페입니다.
초등학생, 중학생 자녀를 둔 학부모님이라면 튠맘 학습연구소로 오세요!